IBARAKI DAPPE KINGDOM

だっぺ帝国の逆襲

はじめに　～まず茨城のことを知っておくれ～

東京の人から見たありがちな茨城の印象は「なんとなく遠いところ」だろう。「なんとなく」というのがポイントで、東京のみなさんは実際に茨城に行ったことがなかったり、よく知らなかったりするので「なんとなく」遠いところにあるイメージなのだ。だから、茨城から都内へ遊びに行くと「（遠くからはるばる）よく来たね」的なリアクションをされることがほんと多いのよ（苦笑）。

でも実際の距離はというと、都心から茨城の玄関口・守谷までの距離は45㎞程度。都心から八王子あたりまでと変わんないんだよね。まあ、都会のど真ん中に住んでる人からすれば、遠いっちゃ遠いが、でもだからって八王子に住んでる人にまで「えっ、茨城から来たの？　大変だね」なんて言われたくねえよ。お前とたいして変わんねーべ！（笑）。

これって結局、「実際の距離が遠い」のではなく「心の距離が遠い」ということなんだよね。

つまり、茨城をよく知らないから、実際よりも遠く感じてしまってるってこと。なんだかすごくもったいない。茨城を「南東北の片田舎」だと思っているそこのあなた！　茨城は関東地方ですんで、そこんとこヨロシク。

そして、県民のみなさん。自分の住むまちから車で30分圏内しか知らなくて、どうして茨城県民といえるのか。みんな、茨城を知らなすぎっぺよ～。

まずは茨城を知ってくれ。批判は甘んじて受ける！……かどうかわからないが。

というわけで、茨城の隠れた魅力を知っていただくために、バリバリの茨城人・佐藤ダイン先生とタッグを組んだ。すばらしい漫画と洒脱な文章で、あなたを茨城色に染めてみせよう。

これを読むと、とりあえず茨城に行きたくなるはずだ。

では、干し芋でもほおばりながら読んでくれっけ？

イバラキングこと青木智也

だっぺ帝国の逆襲 INDEX

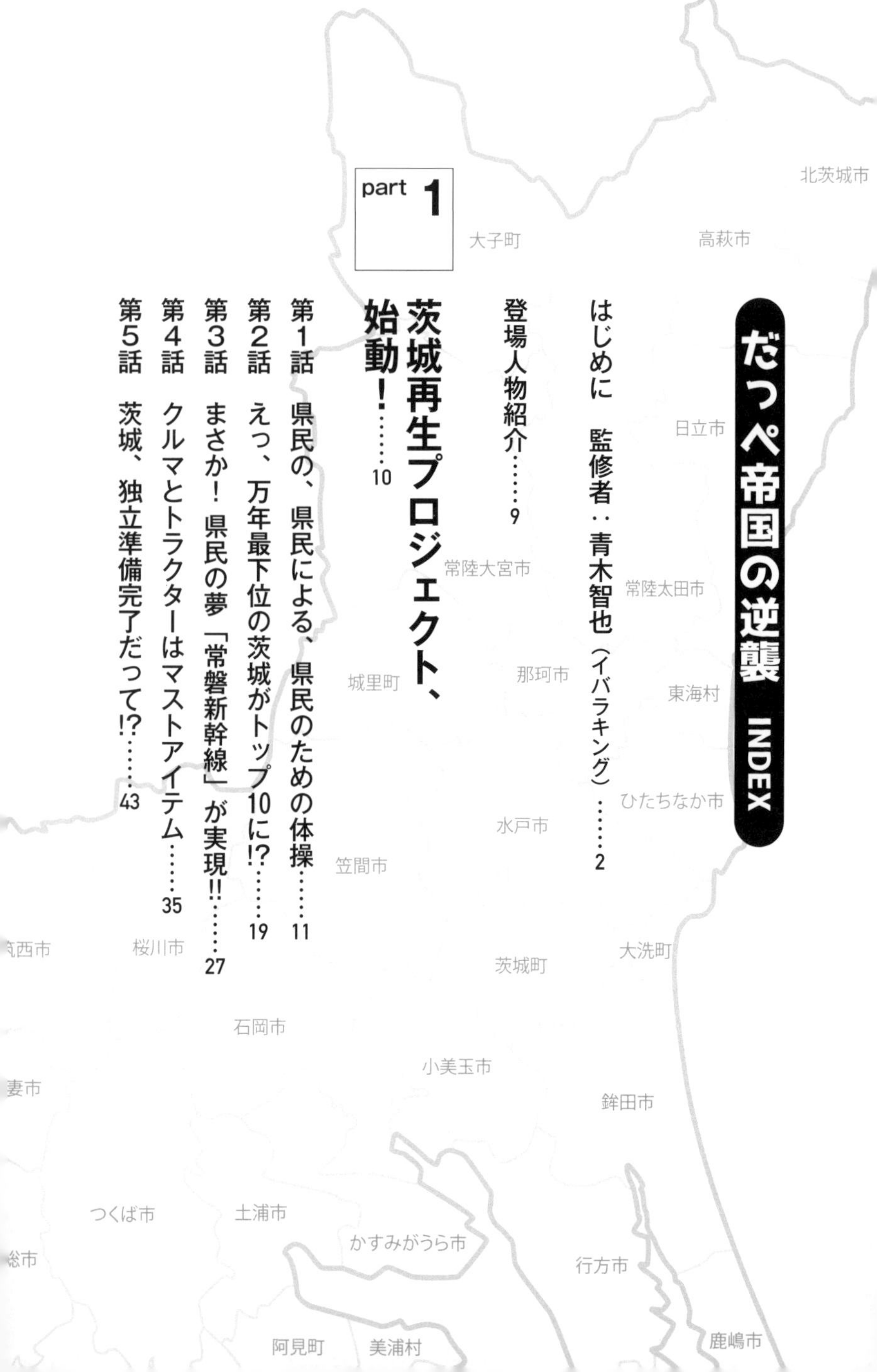

part 2

茨城が誇る日本一、とくと味わうがいい!……56

part 3

郷土のヒーロー将門公を忘れねーでくろ!……104

part 4

県民がこよなく愛する巨人、メロンにB級グルメ……138

part 5

世の中をひっくり返して茨城がトップに立つぞ!?……182

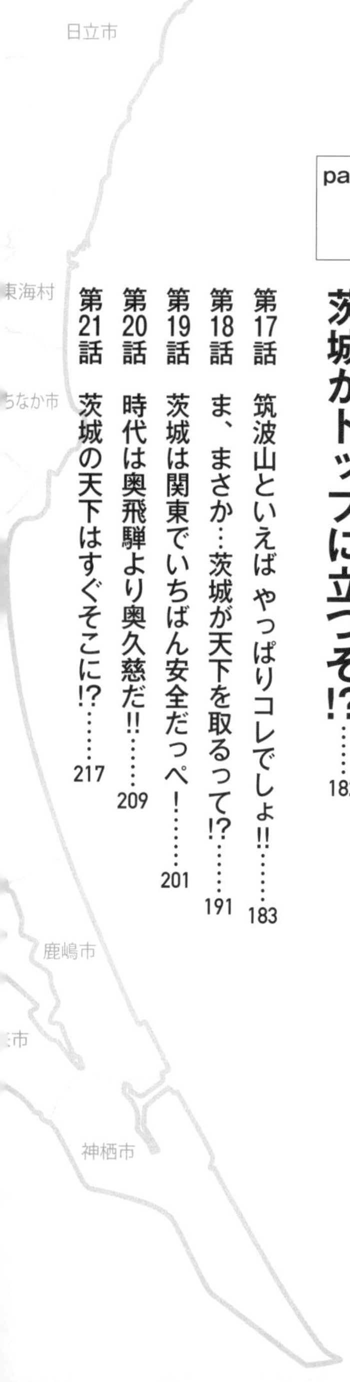

part 6

茨城王の「だっぺディア」

ごじゃっぺコラム「ここが茨城の中心だっぺ！」

※この作品は、小学館 P+D MAGAZINEの連載（2019年12月～2021年5月）を大幅に加筆・修正し、新たなエピソードを加えたものです。
※作中に登場する施設等の名称、料金などは基本的に取材当時のものです。

登場人物

ハチ（湯田八郎）

オタク知識豊富なプロジェクトのアルバイト。茨城生まれの母と、栃木生まれの父をもつ。

平野五月

茨城愛にあふれるこの物語のヒロイン。興奮すると茨城弁でまくし立てる。平将門の末裔。

袋田ダイゴ

この物語の主人公。東京で働いていたが、地元にUターン。茨城の地位を押し上げるために奮闘を続ける。

水卜慶国

（みうら・よしくに）

茨城再生プロジェクトのリーダー。愛称は「ご老公」。一見、単なるスケベジジイだが、じつはものすごいコネを持っており……。

昆沙流

（こん・さる）

経営コンサルタント。左遷されて水戸出張所にいるが、ダイゴたちを利用して巻き返しを狙っている。

熱海格之介

（あつみ・かくのすけ）

熱心な茨城信者。助さんと同じく、ご老公のアシスタント。愛称は格さん。

佐々木助五郎

（ささき・すけごろう）

ご老公のアシスタント。茨城と群馬のハーフで茨城弁は不得意。ハチとはオタク仲間。愛称は助さん。

part 1

茨城再生プロジェクト、始動！

映画が大ヒットしてふんぞり返っている埼玉県民！
ちょっと漫画が流行ったからって調子こんでる群馬県民！
おめぇらが泣いて悔しがるようなすんごいところや、
うんめぇものを教えてやっから覚悟しとげよ！
茨城が天下を取る日も、そう遠ぐはねーがんな。
あ、そうだ、忘れてた。栃木県民も頑張れよ（笑）

第１話　県民の、県民による、県民のための体操

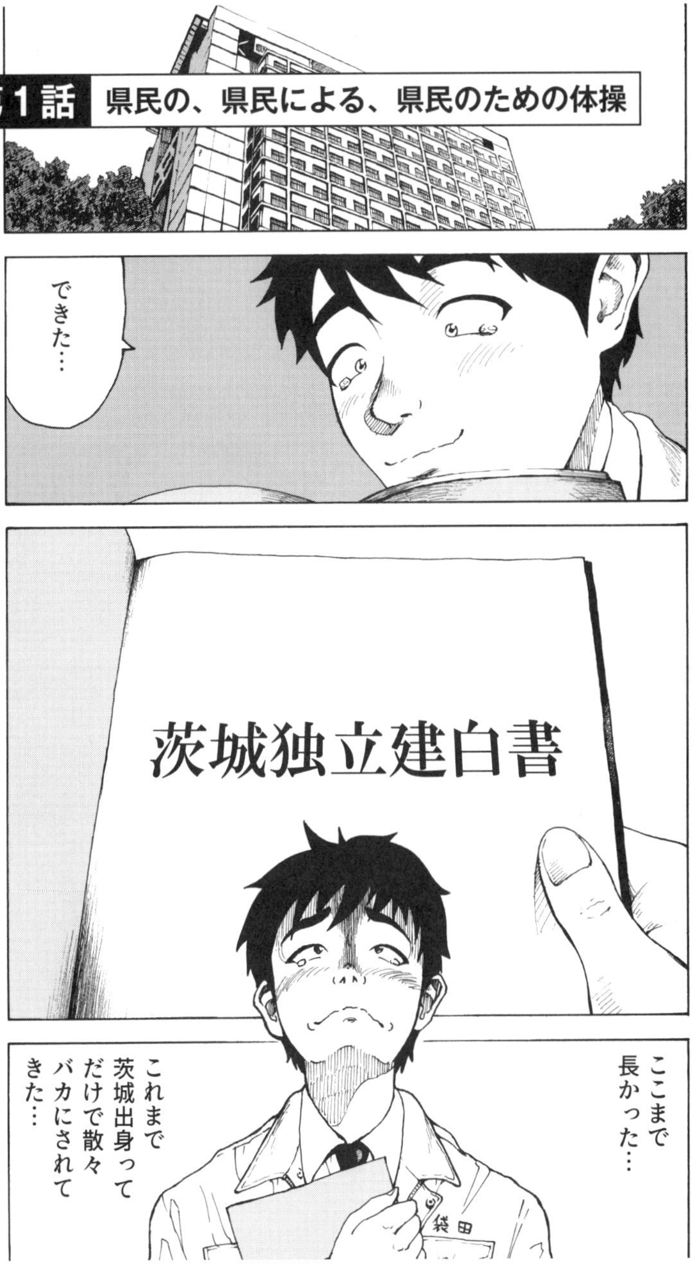

できた…
茨城独立建白書
ここまで長かった…
これまで茨城出身ってだけで散々バカにされてきた…
袋田

■マンガ中の記号（※1など）は、P51〜の「だっペディア」の番号と対応しています。

魅力度7年連続最下位　自動車
盗難日本一　観光地が無い
若い女性がいない　納豆
だけ　日本三大ブス県
民放TV局無い　牛久大仏でか
い　ヤンキー多い　新幹
線止まらない　栃木と同じ
屈辱の日々も・・・
今日で変わる!!
キッ
知事室
オォォォォォォ
知事室
コン

1年前――
プァアアアアーン
取手
僕はいま　常磐線快速
下り電車に乗っている
タタン
タタン
目的地は実家のある
茨城県常総市石下《いしげ》駅だ
常磐線は通勤電車なのに
トイレがあったり……
わい
わい
酒盛りが日常的に行われて
いたりするファンキーな電車だ
しかし彼らは我孫子《あびこ》あたり
までは本性を出さない
シーーン
利根川を越えたら安心して
茨城弁を話し出すのだ
茨城県
利根川
常磐線
千葉県
我孫子駅
キャッ
※1 明日ジョイホン行がね？
行ぐべ行ぐべ！
キャッ
取手
とりで
Toride
天王台
Tennodai
石下に行くには
取手で関東鉄道に
乗り換える必要が
ある

首都圏(茨城含む)の鉄道は圧倒的に「電車」が多い
しかし関東鉄道は電気を動力源としない「気動車」だ
筑波山の東にある石岡市に地磁気観測所があって――
電車を通すと観測に影響が出てしまうらしい
水海道《みつかいどう》まではは複線だがそこから先は単線になる
ヴゥィィィイィーン
ズズ…
田舎っぽいけどこの振動と音がけっこう好きだったりする
上野から約90分かけて石下駅に到着
石下駅
僕の実家はここからさらに徒歩30分だ
ガラガラ

【イバラキングからの挑戦状】

GO!

ネイティブ・イバラキアンになるための茨城弁講座をここに開講する。
正答率8割を目指して頑張ってくろ！（【答え】は【問題】の次のページ）

ただいま〜
ダイゴ！
勝手に会社を辞めちって！
おめぇに食わしてもらうべと思って田んぼもちっちゃくしたんだど！
わーっ
んだ
このごじゃっぺ(※2)が！
おめぇに食わせる無駄飯はねぇ！
両親の純度100％の茨城弁に圧倒されつつも僕は事の顛末を説明した
なんだかんだ言いつつも食卓にはご馳走が準備されていた
なんだ転職先も決まってんのか
ヒック
…でどこよ？
県庁
ピタッ

【問題1】「あおなじみ」はどんな意味？　A. 青っぱな　B. 青あざ　C. 幼なじみ

当分はここから通うよ
ほら もっと食べな
サンキュ
2時間くらい？東京ではそれくらい珍しくなかったよ
かっ…通うっつっても遠かっぺ
疲れたからもう寝るわ
おやすみ〜
転職先がわかってから両親の態度が変わった気がするけど気のせいだろうか…？
パシッ
というわけで東京の食品会社で営業マンをしていた僕は茨城にUターンした
常総市
東京の世知辛さに疲れたこと…
5年付き合っていた彼女にふられたこと…
前から言おうと思ってたけど…ダイゴってなまってるよね…
え!? 僕はなまっていたのか…！
東京で揉まれた僕なら「茨城を変えられるんじゃね？」と思ったことが理由だ
んで、たまたま転職サイトを見ていたら…
茨城再生プロジェクト スタッフ大募集！
正職員登用の道もあり！
なんだかわからないけど応募したら受かってしまったのだ

【答え1】 B. 青あざ　県内ではメジャーな方言のひとつ。「あおなじみ」が標準語で、「青あざ」が方言だと思っている茨城県民もいるほどだ。　使用例：あおなじみできちった（青あざができちゃった）

茨城県庁
でっけぇ〜
袋田《ふくろだ》ダイゴさんですね？
ご案内します
あっはい…
!?
えっ…？まさかここ…？
茨城再生プロジェクト

【問題2】「あかる」の意味は？　A. 上がる　B. 赤くなる　C. 開く

ようこそわれらの城へ！
ワシは水卜《みうら》慶国《よしくに》
バッ
われわれの目的は…
日本一魅力のない県といわれる茨城を変えることッ！
……
…はい
なんじゃボケーっとしおって！
痛っ！
ドドドドドド
まずは恒例のアレじゃ！
茨城県民体操!?(※3)
ぱっ
体が勝手に…！
んっ
こうして僕の第二の人生がスタートしたんだ

【答え2】 C. 開く　「あかった」「あかんない」などのように使うことが多い。　使用例：かたくって蓋あかんねーよ（固くて蓋が開かないよ）

ゼェ…
ゼェ…
茨城県民体操に体力全部持ってかれた…
ギッ
ストン
まずはわしらのチームを紹介しようかの
わしは水ト慶国《みうらよしくに》
みんなはご老公とかミトちゃんと呼んでいるな

第2話　えっ、万年最下位の茨城がトップ10に!?

このふたりは助《すけ》さんと格《かく》さんじゃ
佐々木助五郎
熱海《あつみ》格之介
伝票の整理から備品の管理まで事務作業はなんでもこなす
そして五月《さつき》
イェイ
平野五月
若いが茨城愛では誰にも負けん
はい…袋田《ふくろだ》ダイゴです
ドキドキ
皆さん、よろしくお願いします
えっとあの…
常総市の石下生まれですが10年ほど東京でサラリーマンをやっていました

【問題3】 茨城で「あきれる」はどんな意味?

なるほど
だからあんまり
なまっていないのね
ふ〜ん
えっ、ホントですか？
けっこう、言葉では
バカにされまくり
だったんですケド…
それから…
八《はち》ッ！
ハッ
ウトウト…
ガタッ
は、はい！
わしらは「ハチ」と呼んでいる
湯田八郎
助さんが連れてきたアルバイトじゃ
五月とダイゴをしっかりサポートするんじゃぞ！
はいっ！
任せてください！
あ
…
…
ゴロ…
しっかりしてくれよ

【答え3】　飽きる　　標準語の「呆れる」と同じ発音なので注意しよう。　使用例：どうせすぐあぎれっちゃんだがら（どうせすぐに飽きてしまうんだから）

さてと、われわれの仕事についてじゃが…
この「茨城再生プロジェクト」は県庁第二観光課の仕事じゃ
まあ、一言でいえば…
裏の仕事じゃな
ええっ！裏の仕事っていうと、中村主水《なかむらもんど》とか只野仁《ただのひとし》みたいな…
馬鹿者！
ワッ
犯罪犯してどうする！
すっすいません…
知ってのとおりいま茨城は未曾有《みぞう》の危機に陥っておる…
魅力度7年連続最下位
'18 '17 '16 '15 '14 '13
47位 47位 47位 47位 47位 47位
北関東でしのぎを削る群馬が大物MCと漫画の力で一歩リード
日陰者仲間だと思っていた埼玉県がまさかの映画大ヒットで下克上に成功
同じく北関東の栃木が、ギョーザといちごとラーメンの力でなんとなく浮上…

【問題4】　「宿題をあげて」といわれたらどうすればいい？　A. 提出する　B. やめる　C. 終わらせる

つまり…
圧倒的敗北!
一人負けの状態なのじゃ!
ドンッ
ええ、わかっていますよ
僕もなんだか悔しくて…
わかってねーべ
フンッ
平安の昔から坂東《ばんどう》随一の栄華を誇ったこの県が関東中、いや日本中からバガにされでんだがんな!?
ぐわっ
それもイメージだげでぇ!
急に茨城弁!?
パタンッ
そうです
茨城県は農業も漁業も日本有数だし工業もそれなりに頑張っています
埼玉や群馬、栃木と違って海(※4)はあるし、観光資源がないわけではありません
大洗サンビーチ海水浴場
偕楽園
それなのにこの扱い…
きっと誰かの陰謀に違いありません
そこでヤツらの陰謀を暴きつつ反転攻勢に出るための大本営がこのプレハブっつーわけ
ポキポキ

【答え4】 A. 提出する　「あげる」は宿題やレポートなどを提出する場合に使われる。「お供え物をあげる」のと同じように、目上の人（先生）に提出することから「あげる」が使われているのだろう。

なるほど…
ゴクッ
それにしても外見はプレハブですけど中は結構しっかりしたつくりなんですね
おお気付いたか
じつは「八溝材《やみぞざい》」の檜《ひのき》での
【八溝材】
栃木や福島との県境にある八溝山系で採れた木材のことで関東きっての良材として木材業界では非常に高い評価を受けている。ここでは檜を使っているが杉はもっと有名。
えっ、ヒノキですか
うーむ…
それはまたチグハグというか…
秘密のプロジェクトじゃから大っぴらには贅沢できなくてのう
とあるスポンサーが内緒でカネを出してくれたんじゃ
ガタッ
な、なんだ…

【問題5】「頭切ってくる」と言って行くのはどこ？　A. 病院　B. 理髪店　C. ギャンブル

ぬっ
わあァ!?
ビクッ
おお、まだ紹介しておらんかったのう
こいつは「ハッスル黄門」。引退して諸国漫遊中じゃ
今日はわしと大事な話があっての…県のマスコットとしてはいばらき魅力発信隊に加わった「ねば〜る君」が頑張ってくれてるわい
ネバ〜
ねば〜る君
ゆるキャラと秘密会談!?
握力つっよ！
ガラッ
そのまま帰るんかいっ！
ま、あんまり気にせず…
いやいやめっちゃ気になるんですけど——!!
ドン！

【答え5】 B. 理髪店　　茨城では髪の毛を「頭の毛」といい、髪の毛を切ることを「頭切る」という。
使用例：頭切ったらせーせどしたな（髪を切ったらすっきりしたね）

まあ、そういうわけで…
君には五月たちと協力して、茨城県の足を引っ張っているヤツの正体を暴き
魅力度トップ10に入るための方策を講じてほしいんじゃ
君は東京のこともよく知っているだろうから…
五月と違って冷静に判断できるだろうしな
なっ…!
五月《これ》は茨城愛が強すぎての
フンッ
まあ、茨城のことはよ〜く知っているから頼りになるぞ
ニッ
平野さんよろしく
…私の邪魔はしないでよね
本当は自分で調べたいんじゃが最近、足腰がめっきり弱くなってしまってのう
プルプル
県民体操やってたよね…!?

【問題6】「そんなのあだりめだっぺ」の「あだりめ」は?　A. するめ　B. 当たり前　C. ものもらい

五月！
ダイゴ！
そして八《はち》！
え、ボク？
カッ
まずは茨城の交通事情について自分たちの足を使って調べてくるんじゃッ！
・・・はいっ!!

【答え6】　B. 当たり前　「あだりめ」は当たり前がなまった言葉。ちなみにするめ＝「あたりめ」も「あだりめ」というが、文脈からBが正解。

カッ
ご老公に茨城の交通事情の調査を命じられた僕たちは水戸に来ていた
水戸駅北口
水戸黄門の像
撮るよ!
カシャッ
とりあえず記念撮影中

第3話　まさか！ 県民の夢「常磐新幹線」が実現!!

水戸駅って、あんまり来たことないけどイモの土産物が目立ちますね
ほっしぃ～も
なんでイモなんスか?
あんたは東京育ちだっけ?
ほしいも※5は茨城のソウルフードなのよ
茨城は「食べるサツマイモ」の生産が日本一なの
サツマイモっていうと鹿児島のイメージがあるけど、あっちは基本焼酎だからね
魔王
佐藤
でももったいないですね
こんなにおいしいのに知名度がまったくないなんて
アピール下手なのよ茨城県人は
どうしてっスか?

【問題7】「あっぱとっぱ」の意味は?　A. あたふた　B. あちこち　C. アッパーカット

茨城って
東京に近くて
なんでも作れば売れたから
PRが大事だっていう
意識が低かったのよ
いいもん作れば売れっぺよ
余ったら近所に配っぺ
まあ、他県の人に
なまりを聞かれる
のが怖いって人も
いるんでしょう
けど…
ガーン
ガーン
あ
ダイゴってなまってるよね…
これから
どうします？
常磐線、水戸線、
水郡線、
鹿島臨海鉄道…
電車に乗るにしても
路線がいっぱい
ありますよ
まずは少し
ローカルな
ところかな
だから…
水戸線に
乗りましょう
水郡線はローカル過ぎるし…
水戸·笠間
エリア
スッ
タタン
タタン
東京じゃ景色を見る
余裕なんてなかったな～
僕は都会の景色も
いいと思いますよ
うっ
新海誠作品とか
見てるととくに

【答え7】　A. あたふた　　あたふたよりも「あっぱとっぱ」のほうが慌てふためいている感じがすると思うのは私だけだろうか？　使用例：急に呼ばらいであっぱとっぱしたよ（急に呼ばれてあたふたしたよ）

茨城県の鉄道で有名なのといえば？
オホン
みんなが知ってるのといえば常磐線とつくばエキスプレスかなあ
エキ・スプレスじゃなくてエク・スプレスっスよ
プフッ
地元でもおじいちゃん、おばあちゃんはいまだに間違える人多いわよ まぁみんなTXって呼ぶけどね
すごくなまってると「テーイックス」ね
ゴゴッ
で、首都圏と直結しているのは主にこの2本
TXは秋葉原～つくば間が約1時間弱だとして…
常磐線で東京駅から1時間ってどのへんまで？
特別快速と快速ではちょっと違うんスけど…
えーと
取手の2つ先の龍ケ崎市までっスね
茨城県
水戸
石岡
龍ケ崎市
取手
千葉県
ついでに言うと特急「ときわ」を使えば石岡までがだいたい1時間、「ひたち」なら1時間10分ほどで水戸まで行けます
歩く時刻表か！
TX沿線と、常磐線なら取手～牛久あたりまでが現実的な通勤圏…つまり東京に侵食されてるわけね…

【問題8】「あつこい」と「あつぼったい」、茨城弁なのは？　A.あつこい　B.あつぼったい　C.どっちも

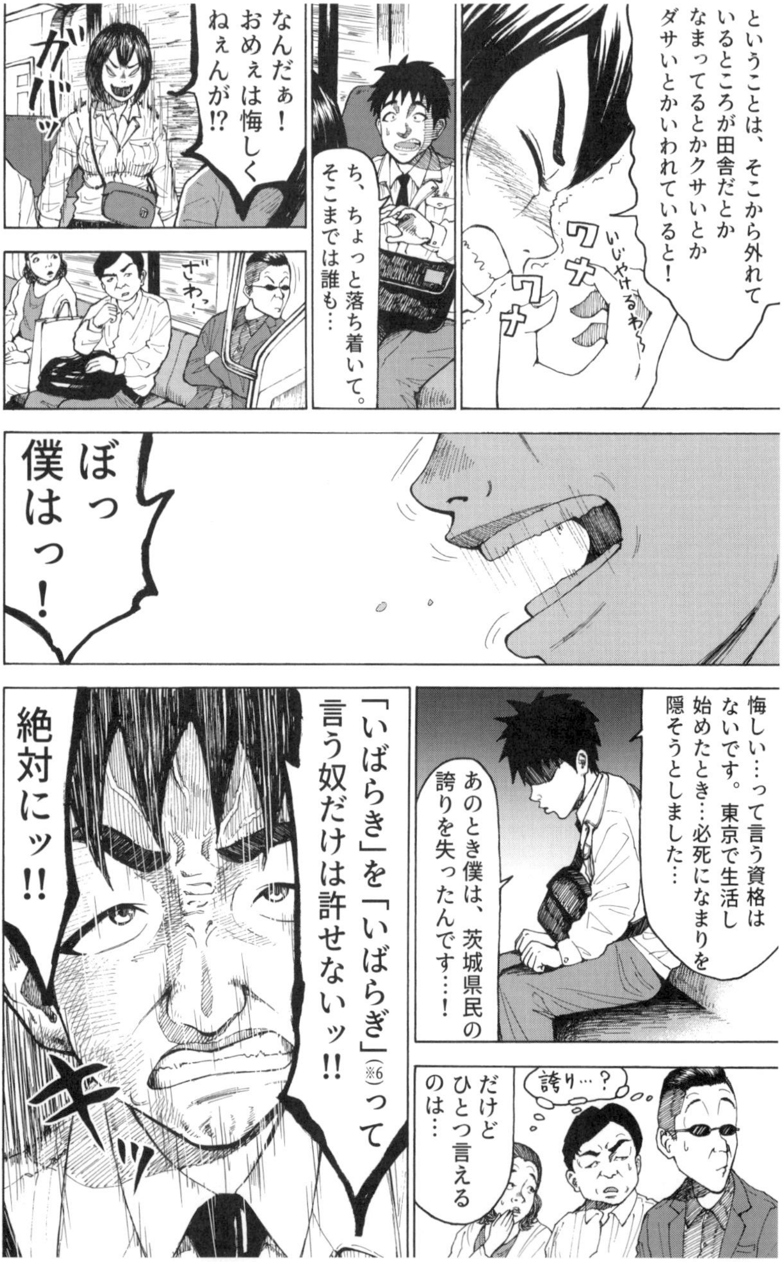
ということは、そこから外れているところが田舎だとかなまってるとかクサいとかダサいとかいわれていると！
いじやけるわ〜
ワナワナ
ち、ちょっと落ち着いて。そこまでは誰も…
ガバッ
なんだぁ！おめぇは悔しくねぇんが!?
ざわっ
ぼっ僕はっ！
悔しい…って言う資格はないです。東京で生活し始めたとき…必死になまりを隠そうとしました…
あのとき僕は、茨城県民の誇りを失ったんです…！
誇り…？
だけどひとつ言えるのは…
「いばらき」を「いばらぎ」(※6)って言う奴だけは許せないッ!!
絶対にッ!!
ギッ

【答え8】　A. あつこい　　厚いことを「あつこい」「あつっこい」といい、県民的には、とくになまっている感じはしないが茨城弁である。「あつぼったい」は厚みがあって重く感じることで、こちらは標準語。

下館《しもだて》駅で関東鉄道常総線に乗り換えた
真岡鐵道《もおかてつどう》でSLに乗りたかったな…
タタン タタン
あれは基本的に週末だけでしょ?
※真岡鐵道…茨城県筑西市～栃木県茂木町に至る鉄道路線。
路線名は栃木県の地名だから「茨城にSLが走っている」って言ったらびっくりする人もいますよね
せめて「下館《しもだて》線」にしてくれたら、もっと認知度は上がったのに…
ムスッ
でも「下館」って読めない人が多そうっスよね
下館なんて序の口よ。なんでそう読むのかわからないところがいっぱいあるんだから
木葉下町
女化
七五三場
小浮気…
フフッ
なんで得意気…?
だからかどうか、ひらがなの地名が増えてません?
地名をひらがなにしているところは4つ
ひたちなか市
つくば市
かすみがうら市
つくばみらい市
北海道と並んでいちばん多いの。栃木や群馬の奴らは「茨城県民は漢字も読めないから」ってバカにしているけど
ムキー

【問題9】「洗いまで」ってなんのこと?

常総線の「石下《いしげ》駅」も知らないと読めないいッスよ
水海道《みつかいどう》を「すいかいどう」って読んじゃう人もいますし
あと、北水海道《きたみつかいどう》は北海道っぽいっていわれたり
実際、『北海道』感はゼロだけど
平野さん、何してるんですか?
なんでもないから気にしないで
五月でいいわよ
?
そういえば五月さんのご実家もこのあたりっスよね?
あっ ほしいも食います?
このあたりっていうか坂東《ばんどう》市だったけど
もう坂東を離れて何世代か経つわね
守谷駅
乗り換えますか?
そうねぇ…

【答え9】 食事の後片付け、洗い物 「大洗まで」ではない。洗って「まてる」=片付けることから、食事の後片付け、洗い物を「洗いまて」「洗いまで」という。使用例:洗いまでは俺がやっとっから(洗い物は俺がやっておくから)

守谷駅は通過し、取手駅で常磐線快速グリーン車に乗り換えた
いろいろ売ってるんですね～
どっさり
基本的には通勤電車だから帰りの電車で一杯やりながら…って人もいるみたいっスね
その昔は、常磐線経由で上野～青森間を寝台特急の「ゆうづる」が7往復も走っていたんスよね…
県民がいちばん悔しがってることってなんだかわかる?
ぐいっ
なんだろう……新幹線がないことかな
そのとおり
でもじつは新幹線は走っているのっ!
古河《こが》あたりをっ!
下館
JR水戸線
水戸
JR常磐線
関東鉄道常総線
取手
いま走ってきたルートって、ぐるっと輪になってますよね?
…そうだけど?
あっ
急に何よ!?
でも、駅がないんスよねまさかの
通り過ぎるだけっていう
ピキッ

【問題10】　次のうち茨城弁はどれ?　A. あるいていく　B. あるってく　C. あーるいーてっく

ここに、山手線のようにぐるっと走る列車をつくったらどうでしょう!?「常総ループライン」とか名付けて!!
JOSO LOOP LINE
バア〜ン
そうすると話題になって沿線の観光地や大きな町がますます栄えるんじゃないかと!!
バカね。このルートを1周すると3時間以上かかるわよ?
ハァ〜
常磐新幹線をつくるのと同じくらい、現実味はないわね
そっかぁ…
じゅん…
…
…一応ダイゴさんなりに考えてくれたんでしょ?
フンッ
ありがとね…
ニヤリ

【答え10】 B. あるってく　「歩いて」を「あるって」という茨城県民は多く、みんな標準語だと思って使っている。なお「あるって」で漢字に変換しようとしても候補に「歩って」と出てこない。

第4話 クルマとトラクターはマストアイテム

常磐線快速車内
タタン
タタン
突然ですが問題です
日本でいちばん大きな湖は琵琶湖ですね？
では2番目はどこでしょう？
え、2番目っスか？
有名なところでいうと、浜名湖っスかね…
前の会社でも知らない人が多かったんだよね～
ブッ
ブッ
なんかムカつく…
浜名湖は10番目
正解は…

【問題11】　「いいやんばい」の意味として間違っているのは？　A. ちょうどいい　B. いい天気　C. 超やばい

霞ヶ浦でした！
でも、日本で2番なのに知名度も足りないしイメージだって正直イマイチですね
観光客のためのスポットがあるのはほんの一部だしね
とゆーかそもそもあったのか…
そういえば土浦《このへん》にも鉄道が走っていましたよね
土浦駅と、水戸線の岩瀬駅を結んでいた筑波鉄道ね
もう30年以上前に廃線になったけど、その跡地がサイクリングロードになっているわ
たしか、りんりん道路ですね
バッ
道・路じゃなくてロ・ー・ドね！りんりんロード!!

【答え11】 C. 超やばい　茨城では「いい塩梅（あんばい）」＝ちょうどよいことを「いいやんばい」「いいやんべ」などといい、「今日はいいやんばいだね」は「今日はいい天気だね」となる。

100キロウォーク大会とか霞ヶ浦一周サイクリング大会とかけっこう頑張ってるのよ
いまは霞ヶ浦の自転車道とも接続されて「つくば霞ヶ浦りんりんロード※7」になったの
総延長は180キロで日本一なの
あぁおいし～
茨谷園のタピオカミルクティ
茨城は土地が平らでまわりを遮る高い建物もないからサイクリングやランニングには最高の環境ですね
いっちにいっちに
意外と走れるね
コミケできたえてるんで
!?
でも最近、自転車ブームはちょっと落ち着いちゃった印象っスよね
ハッハッ
たしかに一部の人がやってるって印象だよね
土浦なんかはサイクリングで町おこしをしたがってるけど…
ハッハッ
そっそんなことないもんっ！
てか私を置いてくな！

【問題12】　次の文を標準語訳すると?「いぎでういのいぎの電車待ってでだら、いぎ降ってきた」

次はいしおか～
石岡です
あっ、ここで降りましょ
へ？ こんなところで？
空港に行くのよ
え、引き返すんスか？
成田に行くんだったら
我孫子で成田線に乗り換えるか
柏から東武アーバンパークラインで
新鎌ヶ谷まで行って
京成線に乗り換えたほうが…
バカ！ 茨城にも空港があること忘れたの!?
ブンブン
ここが最寄り駅なのよッ！
TAXI
タクシーのりば

【答え12】「駅で上野行きの電車を待っていたら、雪が降ってきた」 茨城では「い」と「え」、「い」と「ゆ」の発音が曖昧になる傾向があるため、「駅」も「行き」も「雪」も「いぎ」という発音になる。

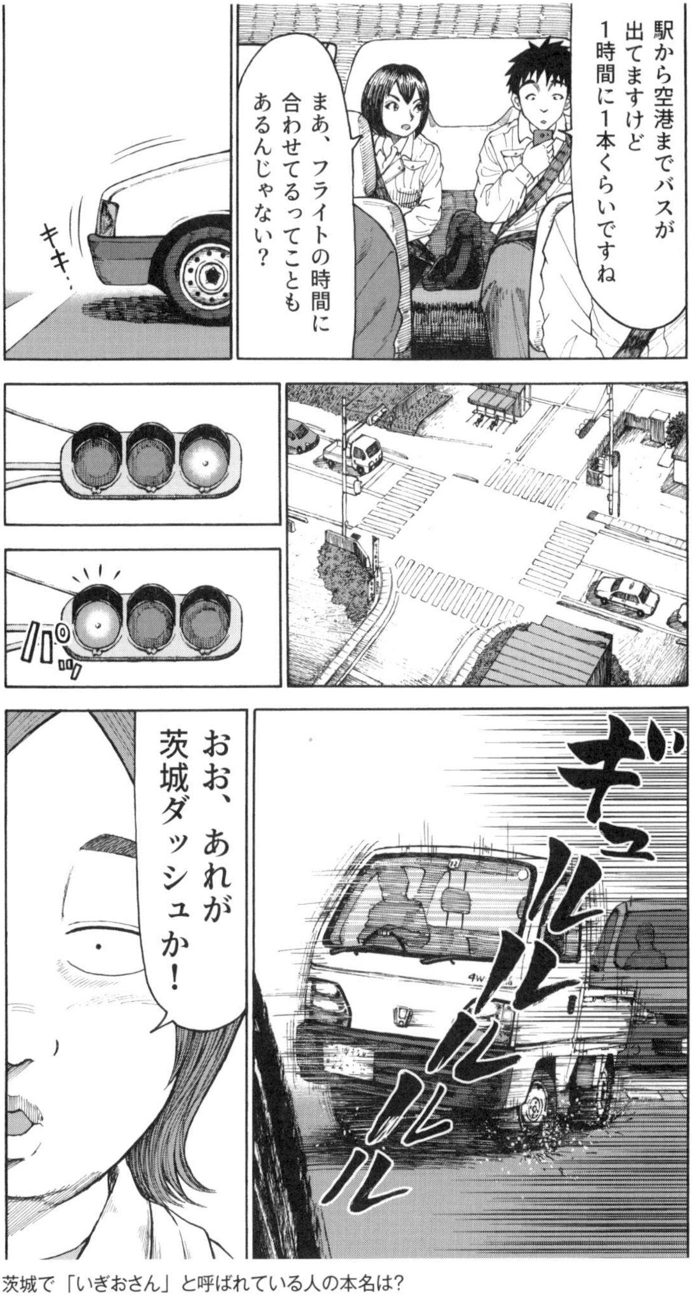

【問題13】　茨城で「いぎおさん」と呼ばれている人の本名は?

なんだっけ
それ？
コソッ
普通は直進する
クルマが
優先っスよね？
コクッ
でも、対向車が
来る前に
右折しちゃう人
いますよね？
それを最近
「茨城ダッシュ」
っていうんスよ
なるほど
片側1車線の道路だと
右折車が後続のクルマの
邪魔になるでしょ？
だから、先頭のクルマが
ダッシュして右折するのは
うしろの人への
配慮だともいえるのよね
交通ルール違反ではあるけ…
どっ
グンッ
何よ!?
すみません
アレが…

【答え13】 ゆきお　　茨城では「い」と「ゆ」の発音が曖昧で、「ゆ」はより発音しやすい「い」に変化するケースが多い。　使用例：いーへーっちぇよ（お風呂［湯］に入っちゃいなよ）

トラクター!?
トトトトト…
ちょっと待って下さい
すぐに曲がると思いますから…
まあ、うちの実家もトラクターあるしあんまり責めれないなぁ～
クルマは?
もちろんありますよ軽トラ1台と乗用車2台
ぐっ
へぇ～すごいっスね
茨城じゃ普通だよ
列車の本数が限られてるうえにだだっ広い関東平野に対して鉄道の路線自体は少ないからクルマはマストアイテムなんだ
人口あたりの自動車保有台数では、茨城県が第3位
ちなみに1位は群馬、2位は栃木で、北関東同士の争いよ
シッ
1位じゃないんスね
ボソッ

【問題14】　では茨城で「いぎいさん」と呼ばれている人の本名は?

なんだぁ!?
1位 茨城
2位 千葉
3位 栃木
(2020年)
人口あたりの自動車盗難件数は、茨城が一番なんだがんな!?
ガッ
ビクッ
ぜんぜん自慢できねぇー!!
とにがぐっ!
住宅敷地面積は日本一だがら、クルマが何台あっても大丈夫っ!
バッ
イナバ物置みたいに言うなっ!
あっあの…
もうすぐ空港です

【答え14】 ゆきえさん　「ゆ」が「い」、「え」が「い」になり、「き」は濁って「ぎ」となるので、「ゆきえさん」は「いぎいさん」になる。

第5話　茨城、独立準備完了だって!?

茨城空港前交差点
ン
なっ…
ビタッ
なんスかあれっ!?
Seicomart
え？　普通のコンビニじゃん
そうじゃなくて…
ガタガタ
なんで北海道のコンビニ(※8)が茨城にあるのかって聞いてるんスよ！
Seicomart

【問題15】　「いしゃってろ」といわれたらどうすればいい？　A. 医者に見せる　B. 下がる　C. その場を立ち去る

え、セコマは北海道限定でしょ？
北海道？普通にこの辺にあるけど
【HOT CHEF】店内で調理される弁当や惣菜
安くて、品揃えがユニークで大手が太刀打ちできない唯一の地域だからってわざわざ訪ねたんスから
うまそー!
1パック110円の惣菜
北海道メロンソフト
ああ、県庁の近くにはないから、ハチは知らなかったのね
サッ
ちなみにメロンと言えば北海道よりも茨城だからね
なぜか北海道以外では茨城と埼玉だけあるみたいね
茨城には約90店あるから、"地元のコンビニ"だと勘違いする人がいても不思議ではないわね
ウチは最寄りのコンビニがセコマだったたからな～
ボロボロ
せっかく札幌まで行ったのに…
運転手さん
3分だけ待っててくれない？

【答え15】 B.下がる　「いしゃる」は「居去る」が語源と思われ、完全にその場から立ち去るのではなく、「下がる」「どく」という意味。

茨城空港
茨城空港
五月さん あざっす
いいーって いいーって
Seicoma
果汁ひろがる
北海道 メロンソフト
東京駅から空港までのバスが1530円!? わりと安いじゃん…
主なバス運賃
【羽鳥ルート】200円
水戸
【水戸ルート】
高速利用 1,050円
一般道 1,160円
羽鳥
石岡
茨城空港
【石岡ルート】630円
つくば
【東京ルート】1,530円
東京
【つくばルート】1,050円
水戸駅からでも1000円以上しますからね。東京からのお客さんを大事にしてるんスね
実際はクルマで来る人が多いんじゃないかななんてったって…

【問題16】　茨城弁で「いもあらい」とは?　A. 芋洗い　B. 妹思い　C.MRI

駐車料金が無料《タダ》だし
何だってー!?
さ、行きましょ
あっハイ
ターミナル
茨城空港は日本で初めて開港時に国内定期便が就航しておらず当初はボロクソ言う声が強かった
が、LCCに特化した空港であること――
茨城空港までの車での所要時間
宇都宮上三川ICから約60分
水戸ICから約30分
前橋ICから約120分
つくば中央ICから約50分
久喜白岡JCTから約90分
三郷ICから約75分
宇都宮上三川IC
水戸IC
前橋IC
つくば中央IC
久喜白岡JCT
三郷IC
茨城空港
群馬県
栃木県
埼玉県
茨城県
東京都
千葉県
北関東自動車道
東北自動車道
関越自動車道
常磐自動車道
首都圏中央連絡自動車道
東関東自動車道
参 茨城空港ホームページ
クルマを使えば意外に便利なことが判明し着実に乗客が増えている

【答え16】 C.MRI　本人は「MRI」と発音しているつもりでも、茨城弁を知らない人には「いもあらい」と聞こえてしまうことがよくある。

成田や羽田が広過ぎるって人には、コンパクトな茨城空港っていう選択肢もありかも
成田や羽田は、空港に着いてから搭乗まで、結構距離があって時間が掛かりますからね
注目度は低いけどアピール次第でもっと人気が出ると思うの
食品
ショッピングモールとしての機能はそこそこでいいって人にはぴったりですね
ハッスル黄門のどら焼き…？
国内は札幌、神戸、福岡、那覇――重要な行き先は押さえているし、あとは便数ね
そういえば埼玉や群馬には空港がなかった気が…
ポンッ

【問題17】 茨城で車が「いんせぎ」にぶつかったそうです。何にぶつかったのか?

ガタッ
そのとおりっ！
当然、栃木もね…
あいつら、海の港だけじゃなくて空の港もないんだから…
じゅる…
ククククッ
あっあの…
いっそ常磐線に空港までの直通特急をつくるのはどう？
いいっスね
でしょ!?
あのねつくばエクスプレスを空港まで延伸する構想がもうちゃんとあるの
茨城空港
終着駅
つくば駅
フンッ
あんたたちの考えるようなことは、みんなとっくに思いついてるわよ
はいすみません

【答え17】 縁石　「い」が「え」になる性質から「いんせぎ」は道路の縁石だと推測できる。いや、もちろん隕石にぶつかる可能性もないとはいえないが……。

送迎デッキ
おぉ
間近に飛行機が見える！
SKY
戦闘機も見えますよ！
ゴォォォォォォ
…ん？
ガルパン…!?
でもなんで同じ滑走路に戦闘機が…？
当たり前でしょ？

ここはもともと航空自衛隊の百里基地だったの
ピッ
いまでも正式名称は「百里飛行場」よ
シュッ
だからいざとなったら戦闘機が茨城を守ってくれるわ
シュッ
…いざとなったらってどういう状況ですか?
いつか茨城が「独立戦争」をする可能性だってなきにしもあらずでしょ?
ま、冗談よ ジョーダン
独立…?
まさかね
……

茨城王《イバラキング》の「だっぺディア」vol.1

「だっぺ帝国の逆襲」をより深く味わっていただくために茨城用語解説ページ「だっぺディア」を用意したぞ。茨城人すら知らない用語もたくさん登場するので、期待してくれ。これであなたも「イバラキアン」だ！

■ジョイホン（P13 ※1）

茨城県発祥の巨大ホームセンター「ジョイフル本田」の略称。すべての店舗は、広さの基準が「東京ドーム○個分」となっており、常軌を逸している。最大は「ニューポートひたちなか店」の東京ドーム5・1個分で、もはや買い物ではなくハイキングに行くレベル。下手をすると遭難しかねない。

生鮮食料品店（やはり茨城の食品スーパー「ジャパンミート」と協力）はもちろん、ショッピングモールやシネコンまで備える店があり、茨城県人は中高生だけでなく大人でも、ヒマがあればついフラフラ入ってしまう。

■ごじゃっぺ（P15 ※2）

もともとは「いいかげん」な人を形容する言葉だったようだが、いまでは「あほ、ばか、まぬけ」のような否定的表現全般に使われる。使用法は関西の「アホ」に近く、本気でけなすのではなくて、もっとライトなニュアンスだ。

ちなみに「でれすけ」も似たような意味。茨城弁で「ごじゃっぺ！」とか「でれすけ！」と罵られても、言葉の裏には愛情や温かみが感じられる——はず。

上級者は「ごじゃ」や「でれ」といった略語をよく使い、「ごじゃらっぺ」と言う最上級者（?）もいる。

■茨城県民体操（P18 ※3）

茨城には「県民の歌」と「県民体操」がある。とりわけ県民体操がある都道府県は珍しく、茨城を含めて12道県のみだそうだ。

この県民体操、伴奏の音楽が昭和初期のラジオのようでやたら古臭く、おどろおどろしいうえに、とにかく動きが激しい。とくに終盤の「天突き運動」は、体操というより過酷なスクワットで、県民は必ず「天突き運動がつらかった」というエピソードで盛り上がる。

茨城県民体操!?
ぱっ
体が勝手に…!
んっ

YouTubeにもアップされているので、ぜひ一度ご覧あれ。

残念ながら（?）、最近は実施されるケースが減ったが、現在30歳以上の県民は、たいてい中学校の運動会や体育のテストでやらされた（まさに「やらされた」という表現がぴったり）経験があるだろう。

ところで、県民体操の作者は1936（昭和11）年のベルリン・オリンピック（体操競技）に出場された日立市の出身の遠山喜一郎さん。1949（昭和24）年のことで、その2年後にはあのラジオ体操を考案することになる。なるほど、県民体操で悪評紛々だった激しい動きをソフィスティケートして、万人受けするものを作り上げたのだな……というのは、私の邪推にすぎません。

■海（P22 ※4）

「茨城には海があるが、栃木や群馬にはない」――これは北関東3県の争いになると必ず出てくるキラーワードである。群馬には「カリビアンビーチ」があるが、あれはただのプール。漫才師のU字工事は「栃木にはエーゲ海がある」と言い張っているが、あれはラブホだ。栃木県民に対して、茨城県民は「海を貸してあげている」という意識が強く、実際「とちぎ海浜自然の家」という栃木県の施設が茨城県の鉾田市にあったりする。日曜劇場「ドラゴン桜」で主人公たちが通う学校として使われて話題になったのは記憶に新しい。

わかっていると思うが、もちろん埼玉にだって海はないぞ。湘南？　千葉？　んー、ちょっと水質がねぇ……。その点、茨城には大洗サンビーチをはじめ海水浴場が18ヵ所もある。環境省認定の「快水浴場百選」には関東地方から7ヵ所選出されているが、なんと、そのうち5ヵ所が茨城。きれいな海で泳ぎたかったら、だんぜん茨城なのだ！

■ほしいも（P27 ※5）

全国シェア9割を誇る茨城のソウルフード。冬になると地元のスーパーマーケットなどで、さまざまな商品が山積みされる。コタツにあたりながら、「ほしいも」をあぶって食べるのが県民の正しい冬の過ごし方だ。

ほしいもは茨城のソウルフードなのよ

サツマイモを板状にスライスして天日干しにする「平干し」が一般的だが、ツウは細めのイモをそのまま干す「丸干し」を好む。ちょっと高いけど。

とはいえ、発祥は茨城ではなく、じつは明治時代に静岡から伝わったもの。あるときを境に静岡を抜き去り、トップへ駆け上がっていったのである。茨城が本気を出せば、このほしいもや納豆のように圧倒的なナンバーワンを生み出していくことも大いに可能だっぺよな!

■「いばらぎ」「いばらき」(P30 ※6)

テレビアニメ「美味しんぼ」第1回では「あん肝はフォアグラよりも美味い」という有名なエピソードが登場する。あんこう漁のために船を出した場所は「茨城県・那珂湊沖」。これがわざわざ字幕入りで「いばらぎけん」と表示されていたのだ。

この流れを変えたのが2004年に発売された拙著『いばらぎじゃなくていばらき』で、この本は茨城県内で4万部を超えるベストセラーとなった。このヒットを機に「どうやら『いばらぎ』じゃないらしい」という情報が口コミやネットで広まり、テレビのバラエティ番組などでも「いばらぎ」といわれることはほぼなくなった。

「いばらき」を「いばらぎ」って
言う奴だけは許せないッ!!
絶対にッ!!

でも油断してはいけない。放っておくと、またぞろ「いばらぎ」と声高に叫ぶ人が出てくるだろう。

■つくば霞ヶ浦りんりんロード(P37 ※7)

土浦市の土浦駅と桜川市(旧岩瀬町)の岩瀬駅を結んでいた「筑波鉄道」が1987年に廃線になり、その路線跡を活用して自転車道路「つくばりんりんロード」がつくられた。さらに、2016年には霞ヶ浦の湖岸道路とつながって「つくば霞ヶ浦りんりんロード」に。国土交通省が定めた

「ナショナルサイクルルート」3つのうちのひとつで、この先、北浦の湖岸にも延伸を予定している。「ナショナルサイクルルート」の他のふたつは「しまなみ海道サイクリングロード」と琵琶湖を一周する「ビワイチ」。知名度では若干負けているような気がするが、なんの、がんばっぺ！

総延長は180キロで日本一なの
あぁおいし〜
茨谷園のタピオカミルクティ

■北海道のコンビニ（P43 ※8）

北海道でコンビニといえば「セイコーマート」。道内ではセブン-イレブンより数が多く、「セコマ」の愛称と鳥っぽいロゴマークで親しまれている。そのセコマが、道外ではなぜか茨城と埼玉にだけ存在する。もともと酒卸から始まった同社だが、道外の酒卸業者から「ノウハウを提供してほしい」と依頼され、エリアフランチャイズ契約を結んだことがきっかけだ。ちなみにロゴマークは、ハトじゃねーど！フェニックスだっぺよ（汗）。

品揃えは、たとえば「しょぼろ納豆」や米菓など茨城の地域性を意識しているところもあるが、セコマ自慢のプライベートブランドは、ほぼ北海道と同じものをラインナップ。とくに「北海道メロンソフト」（税込200円）は、私もお気に入りだ。

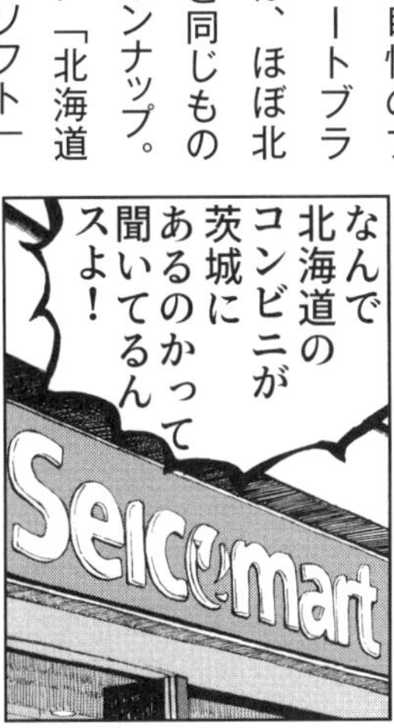
なんで北海道のコンビニが茨城にあるのかって聞いてるんスよ！
Seicomart

埼玉にもあるとはいえ、店舗数は茨城のほうが圧倒的に多い（2021年8月現在、茨城83店、埼玉9店）。いつものコンビニメシに飽きたら、茨城にレッツゴー！

part

2

茨城が誇る日本一、とくと味わうがいい！

みんな、納豆食ってっけ？ ナットウキナーゼ、摂ってっけ？
はっきしいって、そんじょそこらのサプリは裸足で駆け出すぐれーに
無敵の圧倒的完全食だっぺよ。
それから、お酒飲んでっけ？ ビール、あおってっけ？
茨城は関東一の酒どころにしてビールの生産量日本一！
えっ、知んながった？ そんなイメージはねえってが!?

県庁第二観光課
ピシャッ
おはよう…ございます…
ハァ
ハァ
第6話 そこはコーンフレークじゃなくて納豆でしょ!?
ハチ、ちゃんと朝ご飯食べてきたの?
ウィース
おはよう
おはー
…食べてないっス 寝坊しそうだったんで…
私など、毎朝納豆(※1)を食べているから風邪ひとつ引いたことはないですね
フッ
ええ〜!?
毎日食べて、飽きないんスか!?
何とっ! 県民食の納豆を朝食、酒のつまみ、おやつ代わりに頂くのは──
水戸藩開闢《かいびゃく》以来、当たり前のことですッ!!
干し納豆
そぼろ納豆
唯一の名産品っスもんね…
ごじゃっぺ! 唯一って何よ! 名産品は他にもあるかんね!
スッ
でも納豆ってホントに水戸で生まれたのかな…
いいわ…
じゃあ確かめに行きましょう

【問題18】 「いんべ」の意味として間違っているのは? A.行こう B.夕べ C.インベーダー

天狗納豆
納豆展示館
水戸納豆？
始めたのはうちですよ
笹沼五郎商店
5代目 笹沼 寛
笹沼五郎商店の年表によると……
納豆菌は藁《わら》についているので屋根に藁を使っていた弥生時代の人はすでにいまのような納豆を食べていたかも
奈良時代には遣唐使が持ち帰った塩辛納豆（寺納豆――納豆菌ではなく麹《こうじ》菌で発酵）が流行
平安時代の前九年の役《えき》（1051）、後三年の役（1083）を通じて源義家が東北地方で納豆を広めたとの伝説が
江戸時代までに納豆が大衆化
――という具合に納豆は古くから庶民に食べられていた
んで、1884年水戸――
よし、納豆で一旗あげっぺ！本場東北さ修行に行ぐべ！
初代
笹沼清左衛門
2年間の修行のあと再び水戸へ――
納豆ができた！
市制が施行されて水戸市に！
水戸線が開通した！
偕楽園（※2）で観梅《かんばい》が始まった！
ワイ
ワイ
飛ぶように売れっぺ～！
技術者
阿部寅吉

【答え18】 C.インベーダー　　茨城弁ではたびたび言葉が省略されるが、インベーダーはさすがにインベーダーである。「行こう」は「いんべ」の他に「いぐべ」も使われる。

とまあ、鉄道と偕楽園のおかげで「水戸土産には納豆」が定着したわけです
創業130年。私で5代目になります
ガーン！納豆そのものは水戸で生まれたわけじゃないのか…！
じゃ、水戸納豆の作り方をざっと紹介しましょうか
ガチャ
工場内
おぉー
納豆菌をまぜた大豆を藁苞《わらづと》に詰める作業をしています
ボボボボ
ん？蒸した大豆を藁に詰めてから発酵させるんですか？
できた納豆を藁に詰めているだけかと…

【問題19】　「うっちゃる」の意味として間違っているのは？　A. 捨てる　B. 潰す　C. 放っておく

違います
ぬっ
培養した納豆菌を煮た大豆に振りかけますが、藁についている納豆菌の働きがなければあの味にはなりません
藁だと風味も全然違うし、余分な水分が吸い取られて味のしっかりした納豆になるんです
納豆菌拡大図
納豆って、メーカーによってずいぶん味が違いますよね
温度や湿度の管理はどのメーカーもコンピューター化していますが…
大豆を水に浸す時間や温度、釜で炊く圧力と時間、発酵室の温度管理が違いますからね
発酵室内部
「納豆展示館」笹沼五郎商店の2階 納豆の起源や歴史、納豆料理などを学べる
あれ？
天狗の鬚《ひげ》の色、黒でしたっけ？それとも白？
鼻の角度も違うような…
東地域
天狗納豆

【答え19】 B. 潰す　　相撲の技に「うっちゃり」があるが、これは「捨てる」「放っておく」という意味の「打ち棄る」が由来である。「潰す」は茨城弁で「ちゃぶす」「おっちゃす」などが使われる。

じつは天狗納豆という看板を掲げているところは2つある――
ひとつは水戸天狗納豆 笹沼五郎商店（黒鬚）
もうひとつは水戸元祖天狗納豆（白鬚）
水戸駅北口「お休み処」
それには訳があって…
初代清左衛門
長男 総本家
次男 元祖
2代目清左衛門の弟が独立して納豆製造を始めたんですよ
なるほど…大人の事情があったんだ…
ご老公…うちの上司に聞いたのですが…
厳しい時代もあったとか

【問題20】　茨城弁「えんがみる」の意味は？　A. 映画を見る　B. 省みる　C. ひどい目にあう

ええ…
1999年のJCOの事故や
東日本大震災の放射能漏れ騒ぎで
「茨城のものは買うな」
という風潮になってしまって…
完全な風評被害なんですがね
それから市場規模が半減したんですよ
…そうなんですか…
でも、高級スーパーとか百貨店など新しい販路を開拓して頑張ってますよ！
ニッ
普通のスーパーには？
うちは出していません
昔ながらの製法でこだわってつくっているので
なるほど… そういう考え方もアリかも

【答え20】 C.ひどい目にあう　「えんがみる」は「いんがみる」ともいわれ、「いんが」は仏教用語「因果応報」の因果。　使用例：雨降られでいんがみちったよ（雨に降られてひどい目にあったよ）

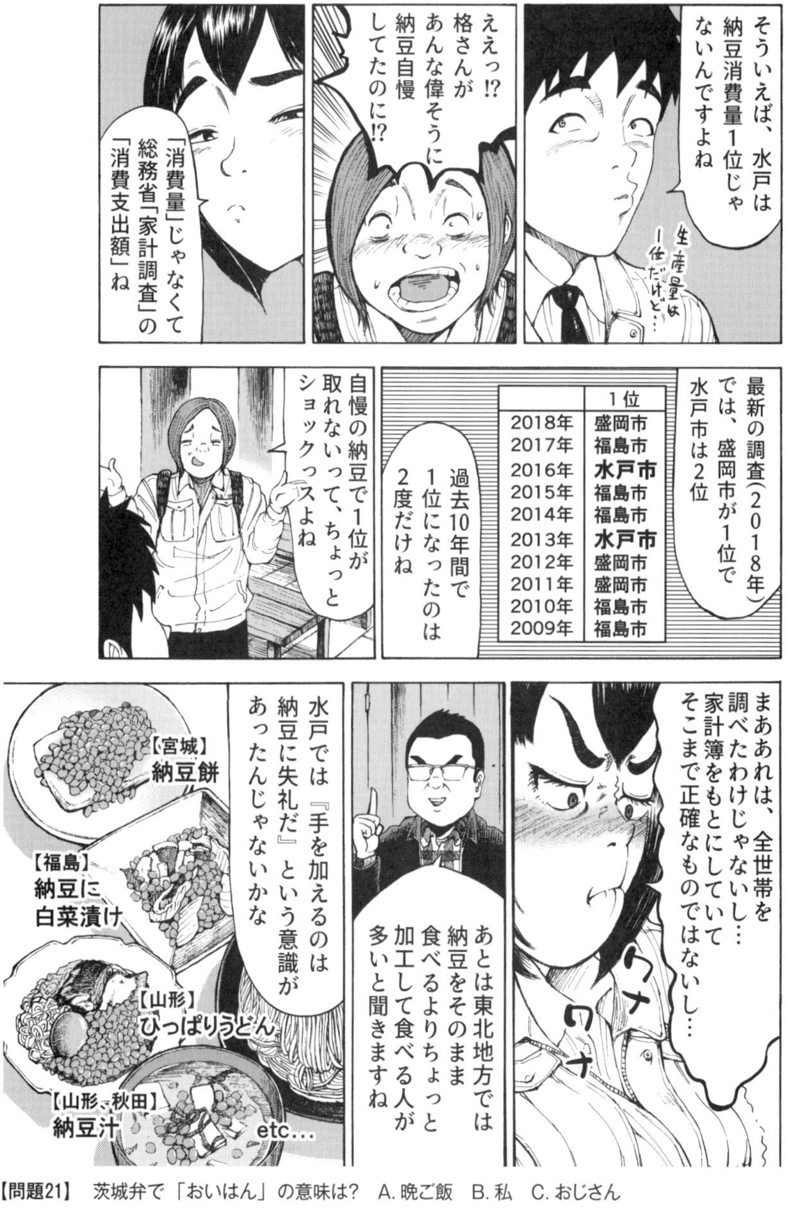
そういえば、水戸は納豆消費量1位じゃないんですよね
生産量は1位だけど…
ええっ!? 格さんがあんな偉そうに納豆自慢してたのに!?
「消費量」じゃなくて総務省「家計調査」の「消費支出額」ね
最新の調査（２０１８年）では、盛岡市が1位で水戸市は2位
1位
2018年 盛岡市
2017年 福島市
2016年 水戸市
2015年 福島市
2014年 福島市
2013年 水戸市
2012年 盛岡市
2011年 盛岡市
2010年 福島市
2009年 福島市
過去10年間で1位になったのは2度だけね
自慢の納豆で1位が取れないって、ちょっとショックっスよね
まああれは、全世帯を調べたわけじゃないし… 家計簿をもとにしていてそこまで正確なものではないし…
ワナ ワナ
あとは東北地方では納豆をそのまま食べるよりちょっと加工して食べる人が多いと聞きますね
水戸では『手を加えるのは納豆に失礼だ』という意識があったんじゃないかな
【宮城】納豆餅
【福島】納豆に白菜漬け
【山形】ひっぱりうどん
【山形、秋田】納豆汁
etc…

【問題21】　茨城弁で「おいはん」の意味は?　A. 晩ご飯　B. 私　C. おじさん

ところでみなさんは納豆をどうやって食べてますか？
生卵と醤油っスかね
パックに付いてるタレと辛子《からし》です
私は断然ネギ！これぞふるさとの味！
辛子って、保存技術が発達していなかったころアンモニア臭を消すために添えられたもので…
今は必要ないんですけどね
付いている物はみんな使うもんだと…
社長はどうなんですか？
私はご飯にのせずに納豆だけで、定番は塩、白だし、わさびかな
おぉ！何か通っぽい！
こんな話してたら食べたくなってきたな…
バッ
よし、お昼も納豆にしよう！
ぐうう
えっ！朝も納豆だったんスか!?
じゃあ社長さん！
ありがとうございましたッ！
ブンッ
ああどうも…
うおおおお
なっとぉぉぉおおおおおおお!!

【答え21】 A. 晩ご飯　「御夕飯（おゆうはん）」がなまったもの。他にご飯をあらわす言葉には「ばんげ」がある。　使用例：おいはんまだだっぺ？（晩ご飯まだでしょ？）

第7話 茨城産ビールでしみじみやっぺ!

カンパ〜イ
※ご老公は所用で欠席
わっ!この天ぷら納豆入ってる!
納豆オムレツも頼んでおきました。夜に納豆を食べると脳疾患が防げるので
どうもっス でもちょっと飽きたかも…
ズッ
そういえば茨城ってお酒も結構造ってるんですよね
水が豊かで、米づくりも盛んで、江戸時代、あるいはそれ以前から酒を造っていたのです
酒造メーカーは40近くもあるんだぜ
私は坂東市で造ってた「秀緑《しゅうろく》」が好きだな。後継者がいなくてメーカーは変わっちゃったけど
オレは古河の「御慶事」の純米吟醸が好きだな。口当たりが良い上に、キリッと切れがあるんだよな
でも茨城のお酒って東京の居酒屋ではなかなか置いてないですよ
これからよ
私たちの力で茨城を有名にするの!
キッ
よし、久々にあれやるか
ええ
?

【問題22】 茨城で「おごご」「こうご」などと呼ばれる食べ物は何?

しみじみ…(※3)
スゥ
やっぺー!
バッ
グッ
なっ…なんですか、それ…
「しみじみ」は茨城では「みっちり」の意味よね?
つまり…
「しっかりやろう!」って意味っスね
魅力度が3年連続最下位になったとき茨城の芸人さんのポーズをヒントにご老公が考えたものです
形が茨城県を表してる
オスペンギン(※4)
ご老公が!?
いつか見返して「茨城ここにアリ!」ってのを世間に知らしめるサインだっぺ
ニカッ
(※5)
手の形は「茨城ピース」という
勢いがすごかったです…
ビールこぼしちゃった
あーっ、そういえばビールで世間を驚かせた会社があったわ!
あっ
「茨城県民手帳(※6)」だ…
バラ
連絡先は…

【答え22】 おしんこ　「おごご」は「御香香(おこうこ)」がなまったもので、「こうご」は「香香」のなまりである。 使用例：おごご、よく漬かってっぺ(おしんこ、よく漬かっているでしょ)

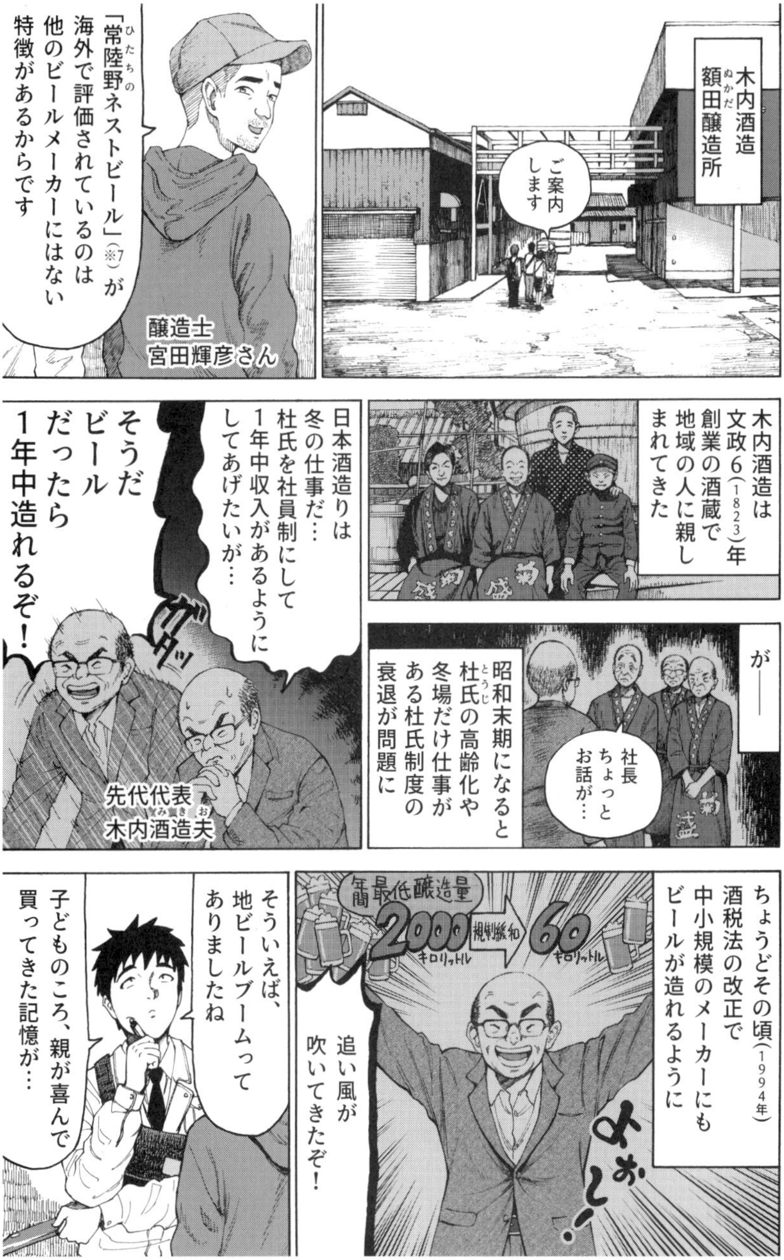
木内酒造 額田《ぬかだ》醸造所
ご案内します
「常陸野《ひたちの》ネストビール」(※7)が海外で評価されているのは他のビールメーカーにはない特徴があるからです
醸造士 宮田輝彦さん
木内酒造は文政6(1823)年創業の酒蔵で地域の人に親しまれてきた
が――
昭和末期になると杜氏《とうじ》の高齢化や冬場だけ仕事がある杜氏制度の衰退が問題に
社長ちょっとお話が…
日本酒造りは冬の仕事だ…杜氏を社員制にして1年中収入があるようにしてあげたいが…
ガタッ
そうだビールだったら1年中造れるぞ!
先代代表 木内酒造夫《みきお》
ちょうどその頃(1994年)酒税法の改正で中小規模のメーカーにもビールが造れるように
年間最低醸造量
2000キロリットル
規制緩和
60キロリットル
追い風が吹いてきたぞ!
よおし!
そういえば、地ビールブームってありましたね
子どものころ、親が喜んで買ってきた記憶が…

【問題23】 茨城弁「おごさま」とは何のこと? A. 子ども B. 怒りん坊 C. 蚕(かいこ)

「地ビール」って言葉、いまじゃほとんど聞かないような気がするけど
最盛期には300以上あったブルワリーが、瞬く間に半減してしまって…
でも、弊社は2000年以降も、売り上げを伸ばしています
それを支えていたのは当初から目指していた「世界に通用するビールを」という思いと…
クラフトビールメーカーのこだわりですね
かつて地域の土産物という扱いだった「地ビール」は、品質の向上とともに“職人(クラフトマン)意識を持って造る”という意味を込めて「クラフトビール」と呼ばれるようになっている。
じつは僕、クラフトビールって飲んだことがないんですが…
常陸野ネストビールは何が違うんですか？
ビールを造るときつい「ドイツの本格的ビールを目指そう！」となりがちですが――
日本のビールだってよ
あっそ
それって海外の人はわざわざ日本から買いたいでしょうか？

【答え23】 C. 蚕　　蚕は絹を生み出してくれるありがたい存在という意味で関東では「御蚕様（おこさま）」と呼ばれ、茨城弁の濁りで「おごさま」と発音される。

だから私たちは茨城県の歴史的背景を活かしたストーリー性が感じられる商品開発をしています
それが評価されて海外からの引き合いがすごく増えました。現在の輸出比率は全体の約50%です
約30ヵ国に出荷されているんですよ
たとえば筑波山周辺で穫れる古代みかんの「福来《ふくれ》みかん」や——
古代米の「赤米《あかまい》」を使ったビールなんかを出されてるんですよね
それから長いあいだ忘れられていた「金子ゴールデン」という日本のビール麦の品種を復活させて地元の農家さんにお願いして栽培しています
それと、かつて日本で育種されたホップを使って「ニッポニア」という商品を出しています
どことなく柑橘系の風味がしておいしいですよ
ANCIENT
NIPPONIA

【問題24】　「おさまえる」ってどういう意味？　A. 王様がいる　B. お参りする　C. 押さえる

季節にもよりますが、15～17種類の商品があります。国内でも海外でもいちばん人気があるのは小麦を使った「ホワイトエール」ですね
ヒソッ
えっ？
でもぶっちゃけ、みかんとか赤米のビールって万人受けはしなそうっスね…
それでいいんです
ニッ
取締役の木内がこう言ってました
中小企業はみんなに愛されるようなモノづくりはしなくていい。
100人中30人に嫌われ、40人が無関心でも、残りの30人が好きになってくれたら十分だ。
…ってね
おぉー

【答え24】 C. 押さえる　「おさまえる」は関東を中心に使われる広域方言で、「動かないように押さえる」という意味で使われる。　使用例：よーぐおさまえといて（よく押さえておいて）

木内酒造本店「蔵＋蕎麦な嘉《か》屋」
この「だいだいエール」いくらでも飲めそう
僕は「ホワイトエール」が気に入りました
お店は県内だけじゃなくて東京にもあるのね
店で出してる常陸牛はビールのかすを飼料にしてるんですって
常陸鴻巣
水戸
東京
蔵＋蕎麦な嘉屋
常陸野ブルーイング水戸
常陸野ブルーイング・ラボ東京駅店
秋葉原
品川
偕楽園
酒＋蕎麦な嘉屋
常陸野ブルーイング品川
木内酒造神田万世橋店
ウイスキー工場もできたって言ってたし、最近は秋葉原にオリジナルのジンなんかをつくれる「常陸野ブルーイング東京蒸留所」もできたわ
へぇ〜、サンフランシスコや上海にも店があるんだ……
クイッ

【問題25】「おしゃれ」の茨城弁で間違っているのはどれ？　A. おしゃらぐ　B. おしゃらげ　C. おしゃらご

宮田さんが言ってた「ストーリー性が感じられる商品づくり」って、結構奥深いわよね
トクトク
僕は「万人受けはいらない。一部の熱狂的ファンがいれば十分！」って取締役の言葉にシビれました
フンッ
あんたは地下アイドルの追っかけを認めてもらった気がしてるだけっしょ？
それ、誤解だから
ドンッ
本質は同じっスよ!!
全っ然ちがぁ～べ!!
ん～～～…
しみじみ～
！
いやっパー!!
パタッ
僕は…もっともっと勉強して…プロジェクトを…成功に…
県民手帳…

【答え25】 B. おしゃらげ　「おしゃれ」は茨城弁で「おしゃらぐ」「おしゃらご」などといわれる。 使用例：今日はおしゃらぐしてどごさ行ぐんで？（今日はおしゃれしてどこに行くの？）

2月——
県庁第二観光課
あー、はがいがなくって
いじやげっちゃ※8！
うーむ
カタ
カタ
訳：はかどらなくて
腹が立ってしまう
あれ？
どうしたんですか、

第8話 マジか!? 高級ブランドのような「れんこん」!!

ああ、年度末が近いから、
やることが増えるんだよ
ギッ
〝裏の仕事〟とはいえ
一応お役所なんでね
五月、ダイゴ、ハチ！
わしの代わりに
ここに行ってきてくれ！
ザッ

かすみが
うら市…
土浦駅から結構
あるし、タクシー
使わないと行け
ないな…
タ、タクシー
じゃと!?
無駄遣いは
許さんッ!!
りんりん
スクエア土浦※9
ring-ring SQ.

【問題26】　「おっくす」と同じ意味でないものは？　A. おっぺす　B. ぷっくす　C. ぼっこす

あ、これかわいい！私はこれにしようかな
ここは最新の自転車がリーズナブルに借りられるの
え!?自転車ですか？
マジで!? 10キロ以上ありますよ
ミニベロは2000円から…ママチャリなら1500円か…
つくば霞ヶ浦りんりんロード
やっぱり道が平坦だから走りやすいっスね～
湖の周辺は桜が植えられてるんですね。春は綺麗だろうな
なんたって、国が認定したナショナルサイクルルートだからね
ちょっと急ぐわよ
グンッ
!?
ああっ！おかしいと思ったら自分だけ電動アシスト付きだ～！
【ミニベロのアシスト付き】1日3,500円
ずっる
ニヒヒ

【答え26】 A. おっぺす　「おっくす」は壊すという意味で、同じような意味で「うっくす」「ぶっくす」「ぷっくす」「ぷっこわす」「ぼっこす」などが使われる。「おっぺす」は押すという意味。

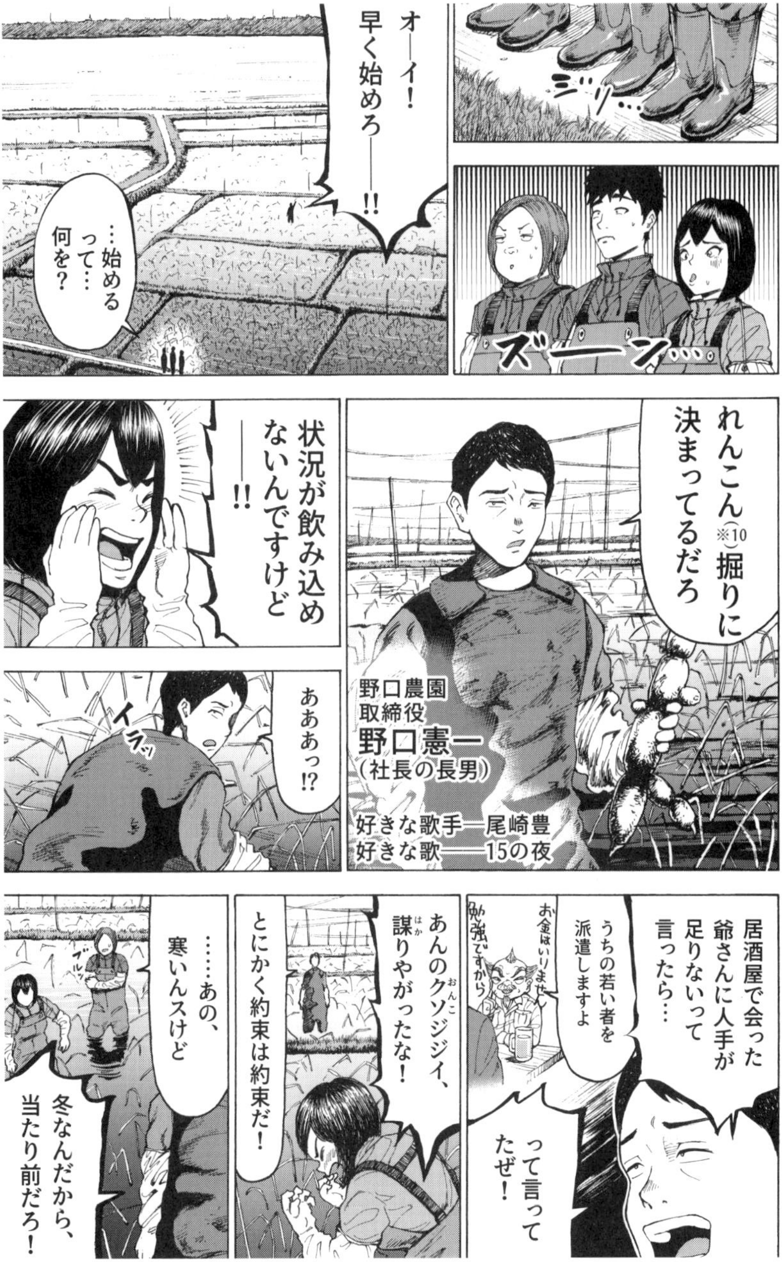
ジリ…
オーーイ！早く始めろーーー!!
…始めるって…何を？
ズーーン…
れんこん※10掘りに決まってるだろ
野口農園
取締役
野口憲一
（社長の長男）
好きな歌手―尾崎豊
好きな歌――15の夜
状況が飲み込めないんですけど――!!
イラッ
ああああっ!?
居酒屋で会った爺さんに人手が足りないって言ったら…
うちの若い者を派遣しますよ
お金はいりません
勉強ですから
って言ってたぜ！
あんのクソ《おんこ》ジジイ、謀《はか》りやがったな！
とにかく約束は約束だ！
ブルッ
……あの、寒いんスけど
冬なんだから、当たり前だろ！

【問題27】　茨城弁なのは次のどれ？　A. 落っことす　B. 落っこる　C. 落っこちる

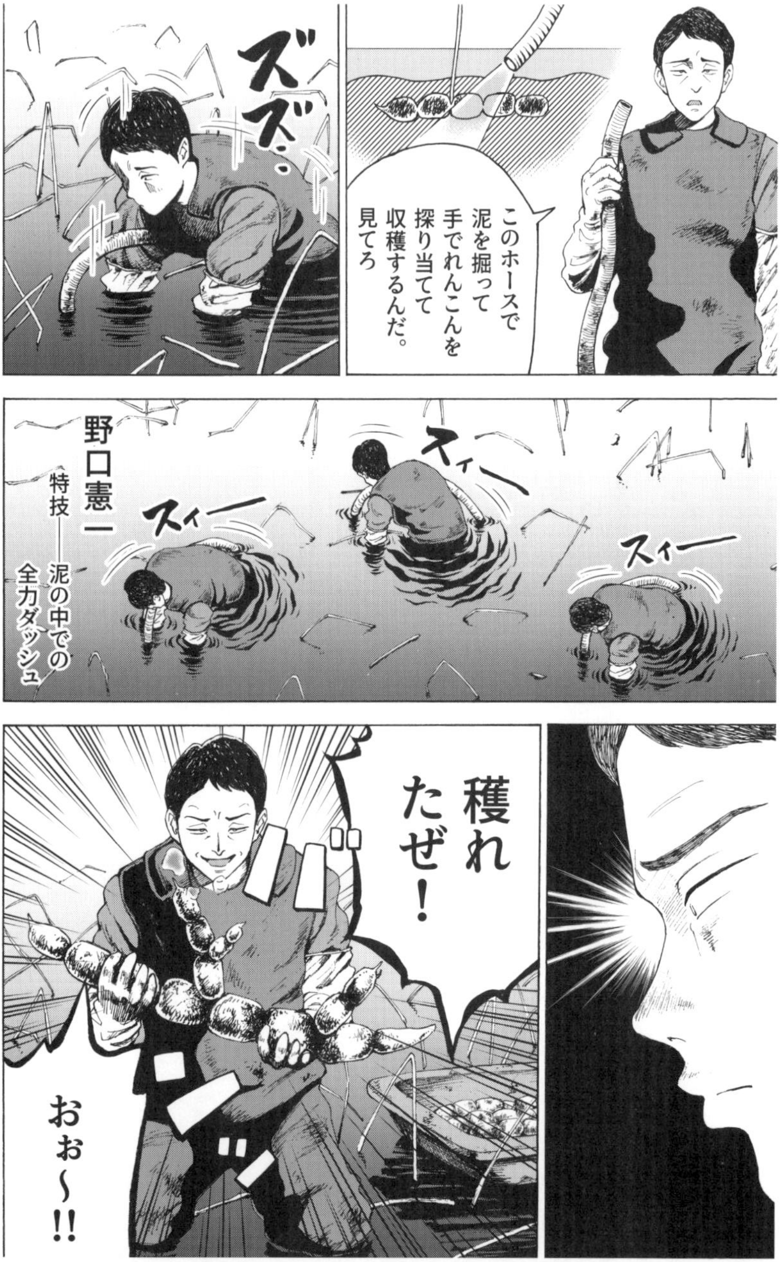
このホースで泥を掘って手でれんこんを探り当てて収穫するんだ。見てろ
ズズ…
スィー
スィー
スィー
野口憲一
特技――泥の中での全力ダッシュ
穫れたぜ!
おぉ〜!!

【答え27】 B. 落っこる　茨城県民にとってはどれも標準語だが、「落っこる」が茨城弁。「落っこちる」「落っことす」は関東広域方言という見方もできるが、ほぼ標準語化しているといっていいだろう。

やりたくても身動きが取れない…
ぐぐ…
ダッ
!
よ〜し、コミケで鍛えた足を見せてやる!
わっ
バッシャーン
アハハハ
ん…?
何か獲れた…
ぐいっ
あ、バ、バカ!!!
え?
ポキッ
ブチッ
こんのやろー、もう出てけ!!!

【問題28】「おっちんちった」の意味は?　A.おじけづいた　B.縮んじゃった　C.死んじゃった

シャー
あれ、1本50000円で売れたな
えっ?
1本50000円!?
正直…
れんこんって一山いくらの安いものだと思ってました
うちは"エルメス"のようなれんこんを作ってるんだ
えるめす…?
あの高級ブランドの――
エルメスだよ

【答え28】 C. 死んじゃった　　強調の接頭語「おっ」＋「死ぬ」で「おっちぬ」となる。ちなみに「縮んじゃった」を茨城弁に直すなら「ちぢんちった」。

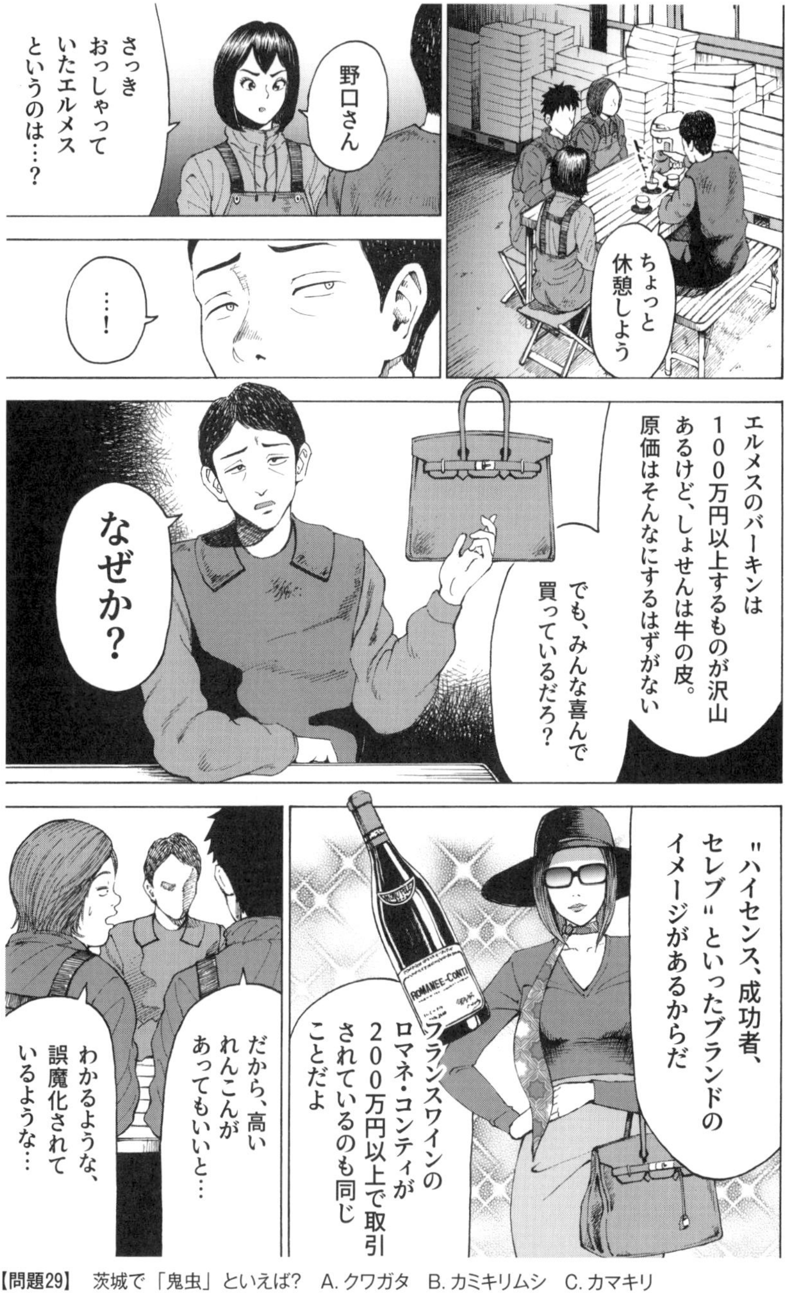
ちょっと休憩しよう
野口さん
さっきおっしゃっていたエルメスというのは…?
…!
エルメスのバーキンは100万円以上するものが沢山あるけど、しょせんは牛の皮。原価はそんなにするはずがない
でも、みんな喜んで買っているだろ?
なぜか?
"ハイセンス、成功者、セレブ"といったブランドのイメージがあるからだ
ROMANEE-CONTI
フランスワインのロマネ・コンティが200万円以上で取引されているのも同じことだよ
だから、高いれんこんがあってもいいと…
わかるような、誤魔化されているような…

【問題29】　茨城で「鬼虫」といえば?　A. クワガタ　B. カミキリムシ　C. カマキリ

同じ野菜で例えると京野菜の賀茂なすは1本500円くらいする
それで喜ばれているのに、茨城のなすは200円もしない。しかも3本でな。これが現実なんだ
賀茂なす500円くらい
茨城なす200円しない
ズズ…
これを250円に上げたら誰も見向きもしなくなる
でも、あえて高い値段を？
ああ。普通のれんこんは100グラム50～100円が相場さ。うちでは極上れんこん1本（1キロ前後）5400円で売っているんだ。
ってかそもそもれんこんって、おいしいもんでしたっけ？
コソッ
……
じっ
バッグとかワインならまだしも、れんこんに高いお金払う人なんているんスかね？
ガタッ
あっ憲一さん…！

【答え29】 A. クワガタ　　茨城ではクワガタ（カブトムシを含む場合も）を鬼虫という。また、その種類ごとに呼び名があり、地域によって違う。　例：コクワガタ→ナタ、ウシ

これ、食べてみな
コトッ
いつも食べてるのとまるで違う!
甘いしぜんぜん固くない!
!?
うっ…
うっま———!!
とうもろこしみたいな味がする!!
これが親父が丹精を込めてつくり…
俺がブランド化したれんこんだ
れんこん
ガキの頃…親父に教わったんだ…

【問題30】「おぴとぎ」とは何のこと? A. おとぎ話 B. 一人ぼっち C. 七五三

温暖な気候、豊かな水、土質などに恵まれて、れんこんの一大名産地になった霞ヶ浦周辺。
なかでも野口農園は大正15年創業、創業90年以上の老舗れんこん農家だ。
いいか憲一？れんこん作りでいちばん大切なことを教えてやる
うん
おいしいれんこんを作ることだ
誰にも負けないおいしいれんこんを
もちろん高い値段をつければいいってわけじゃない
トロトロ
ランボルギーニを注文して、届いた車が軽自動車のスペックだったら怒るだろ？
「あじょよし」はちょっと力加減を間違えるとすぐに傷んでしまう繊細な品種なんだ
うちの蓮田《はすだ》全体で30万本くらいのれんこんが穫れるがそのうち、太さ、色、味が最高の「極上」は…

【答え30】 C.七五三　「帯解き（おびとき）」がなまったもので、「紐解き」ともいう。ちなみに結城市には「七五三場」と書いて「しめば」と呼ぶ地名がある。

100本できればいいほうだ
そのうち1本をお前がダメにした…
うっ…
ハハッ冗談冗談
ホッ
いま3年先まで待ってくれているお客さんがいるよ
民俗学者でもある野口さんは野口農園のれんこんのブランドイメージを高めるため父親（社長）とケンカしながらさまざまなトライ&エラーをしてきた。
おいしいものを作るのがいちばん大事なんだ
ぐっ
親父…
それだけじゃダメなんだ…!
俺が教えた事忘れちまったか？
化粧箱の作成、農産物展示会への出展、講演やトークショー
れんこん
SNS、バラエティ番組への出演
NOGUCHI NOUEN
株式会社野口農園
いいね!
パリで使ってもらえるってよ!
やったわね!
欧州市場への輸出、有名和食料理店や海外の有名店への納品…
そして6年——
野口農園
極上レンコン
2kg最高級レンコンはこち
5,400円
○○年度のご予約は
完売にて終了致しました。
再入荷お知らせ希望
ツイート
いいね！208
最底辺の農家の作物と揶揄されていたれんこんが、「1本5000円」で飛ぶように売れるまでに

【問題31】「おらい」「おらぢ」「おらげ」……これらは何をあらわす言葉？

農業ってのは、生産技術の革新で収量が増えればやがて価格が安くなって、よりたくさん作らなければいけなくなる
オレはこの流れを変えようと思って、「1本5000円のれんこん」を打ち出したんだ
野口さんのやり方は真似されないいんですか？
作るのが大変な品種だし、一朝一夕にはできないだろうな。それより、中国が追い上げてくるほうが心配だね
中国？
中国の底力はバカにできないよ
そういう時代に、日本が優位性を保つには…
「文化」しかないと思う

【答え31】 自分の家　　他にも「おらえ」「おらち」「おれげ」「うぢげ」などさまざまなバリエーションがある。
使用例：おらいのじさまはピンピンしてっと（うちのおじいちゃんはピンピンしているよ）

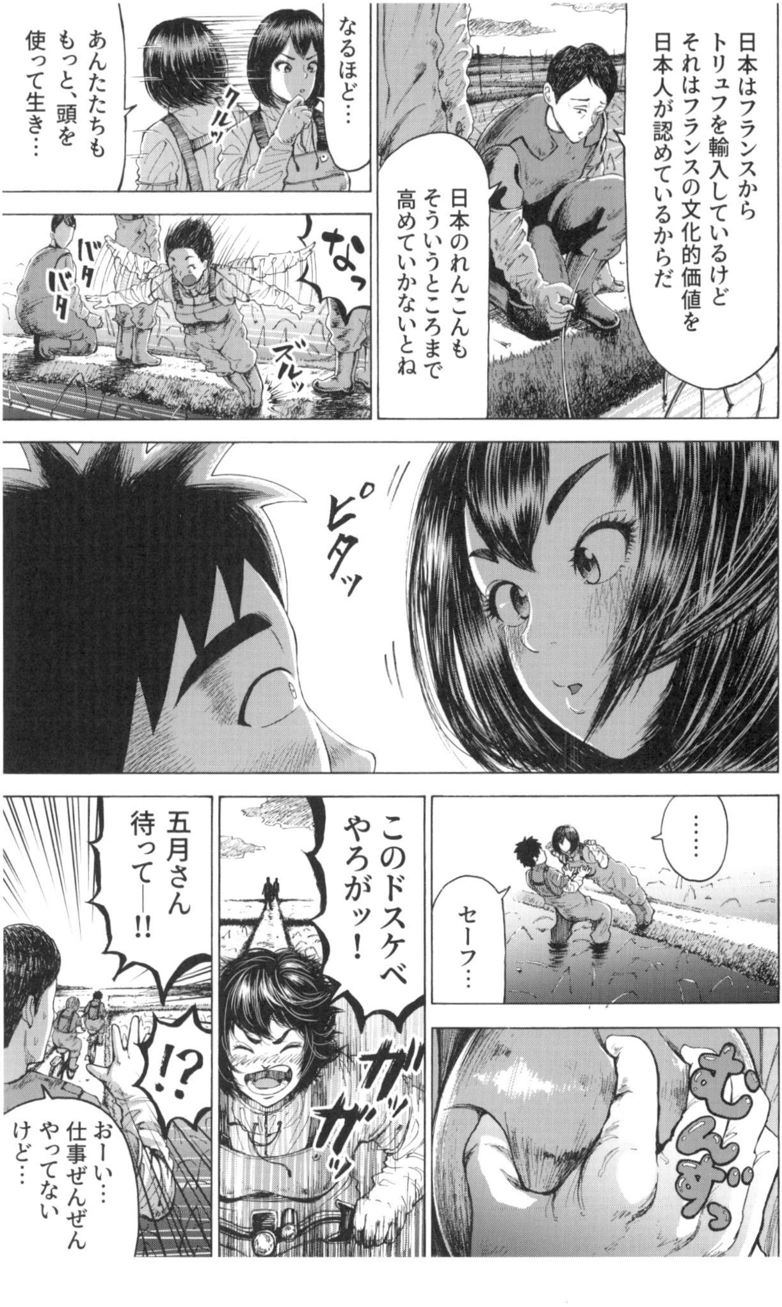
日本はフランスから
トリュフを輸入しているけど
それはフランスの文化的価値を
日本人が認めているからだ
日本のれんこんも
そういうところまで
高めていかないとね
なるほど…
クルッ
あんたたちも
もっと、頭を
使って生き…
なっ
バタ
バタ
ズルッ
ピタッ
……
セーフ…
むんず
このドスケベ
やろがッ!
ガッ
ガッ
五月さん
待って――!!
!?
おーい…
仕事ぜんぜん
やってない
けど…

ごじゃっぺコラム

ここが茨城の中心だっぺ！①

山がちで平野が少ない日本では、県庁所在地など特定の市に人口が集中している県がほとんどだ。でも可住地面積全国4位でどこにでも住めてしまう茨城は、完全な人口分散型社会となっていて、そのぶんどこが中心なのかがわかりにくいかもしれない。

そういうわけでSNSを使って「茨城の中心はどこ？」と県民にアンケートを取ってみた。

第5位

歴史とルーツの「石岡市」

歴史的に考えるなら石岡市だ。奈良時代、常陸国の国府（県庁）が置かれたのが現在の石岡市。だから石岡は「常陸府中」「常府」などとも呼ばれる。

さらに、当時の常陸国の中心は茨城郡で、その郡役所があったのが現在の石岡市「茨城（ばらき）」なのである。石岡駅には「茨城県名発祥のまち」との看板もあった……はずだが、いまはないらしい（汗）。

なお、茨城のルーツについては、茨城の古代の発音「うばらき」が転訛した「小原（おばら　笠間市）」とする説もある。

続きは「ここが茨城の中心だっぺ②」（P164）を見てくろ。

牛久沼※11
現在――
ザザザ…
ヒュオオオオオ
バサ
バサ
第9話　え？うな丼の発祥の地は牛久だって!?
時代は変わって…
江戸時代後期
牛久沼付近
大将！
うなぎの蒲焼と
どんぶり飯頼むよ
芝居小屋の
金方（スポンサー）
大久保今助
お待ちど～
おっ
へへっ
これこれ
舟が
出るぞ～
何!?
もう!?

【問題32】　茨城で「おんこばち」、通称「便所蜂」の正式名称「コウカアブ」のコウカとは?

仕方ねぇっ!
えいやっ
器は借りとくよっ!
待ってくれ!乗るよ〜!
ダダッ
スィー
毎度〜
やっと着いた…さて食うか
うなぎが蒸されていつもより柔らけぇ!!
おお
飯にしみこんだタレもたまらねぇ!!
再び現在――国道6号線脇牛久沼付近
大久保今助はそれ以降、最初からうなぎを丼にのせてもらったそうです
それが評判になって牛久沼の名物になったって話なんですが五月さん知ってました?

【答え32】 便所　　後架と書き、便所のこと。なお、「おんこ」はうんこのことである。

知らなかったな。私はご老公から聞いたの
納豆やれんこん以外で自慢できるもの？
そうじゃ、牛久沼がうな丼発祥の地だということは知ってるか？
国道6号線の牛久沼付近は「うなぎ街道」といわれていてうなぎ店が点在してるんだって
国道6号線
常磐線
牛久沼
うなぎ街道
ホントにこんなところにあるんスか？
サムッ
さっき廃墟みたいのもありましたよ
サスサス
鶴舞家《つるまいや》
いらっしゃいませ～
ホントにあった…
う、うなぎなんて久しぶりだなぁ
じゅる…
僕、特上！
そんな予算ねーわ。でれすけ！
パコッ
いでっ

【問題33】「おたまこんぽち」「かえるこんぼ」「ことこんべ」って何のこと?

注文から30分ほどして—
わあぁぁぁぁ
《うな重　上》3,520円
うまそー
《うな丼》2,420円
僕コレだけ…?
《ワカサギの甘露煮》660円
んっ!おいしい!ふっくらしてて身が締まってて
半分あげるから泣かないの
でも、うなぎってやっぱりいい値段しますね
すみませんねぇ
稚魚のシラスウナギが獲れなくて、原価が異様に上がってるものですから…
ああっ、社長さん
鶴舞家
3代目社長
寺田公洋
ところで…
ココが"うな丼発祥の地"ってホントですか?
…!

【答え33】すべて「おたまじゃくし」　呼び方のバリエーションが非常に多いが、どの呼び方もそれほど一般には知られていない。「こんぽち」「こんぼ」の語源は小法師。

さぁ
ズコー
私が小さいころ そんな話は 聞いたことが なかったので…
うちが創業した 昭和初期にはまだ 店もまばらで…
みんな牛久沼で 獲れた川魚なんかを ささやかに提供して いたんです
でも、ここに 国道6号《ロッコク》線※12が 走っているでしょ?
高度成長期に入って みんなマイカーを持つようになり 東京などから遠出してきて 牛久沼のそばで一息入れようか、 という人が増えたんです
ええ!?
じゃあ… 牛久沼の 伝説は…?
市の関係者が「うな丼の起源は 牛久沼だ」っていう文献を見つけて じゃあこのへんを「うなぎ街道※13」と 名付けて売り出そう という話になったんです
うなぎ街道
―現在―
山水閣
鶴舞家
伊勢屋
国道6号線
桑名屋
龍ケ崎市駅
このなかで「元祖」という看板を 掲げているのが「鶴舞家」である。

【問題34】 茨城弁で「かっぱいた」はどんな意味? A.カッパがいた B.掻き出した C.叩いた

でも周りはちょっとさみしいですね
一番の理由は常磐道かな。どんどん延長されてとうとう全線開通――
つくば市
土浦市
常磐道
牛久沼
取手市
茨城県
千葉県
それと反比例するように店もお客さんも減っちゃって…
そこに震災が追い打ちをかけて最盛期には15軒あったものがいまじゃ4軒ですよ
ゾクッ
もしかしてあの廃墟も…?
それでも県外から食べに来てくださるお客さんがたくさんいらっしゃいますし夏場は座る時間もないほど賑わいますよ
わいわい
がやがや
土用丑の
やっぱうなぎは夏の食べ物なんですね
それはちょっと違います。魚は一般に冬場が脂がのっておいしいというでしょ?
うなぎもホントは冬が旨いんです
へぇ～!
あの～…
厨房を見せてもらえたりは…?
…わかりました特別にお見せします
私たちのこだわりを

【答え34】 B. 掻き出した　「掻く」＋「掃く」で「かっぱく」となり、「掻き出す」「寄せ集める」「かき分ける」などの意味になる。　使用例：泥かっぱぎは容易だねえ（泥かきは簡単じゃない）

厨房
トンッ
1・裂く
スゥ
2・串打ち
スッ
3・白焼《しら》き
パチッ
パチッ
4・蒸す
モワッ
5・タレを付けて再び焼く
サッ
手順は至ってシンプル…
それゆえに一切手を抜かずじっくりつくる
秘訣はそれだけ！

【問題35】　「かぴてる」とはどんな状態を指すか？　A: カビが生えている　B: 光っている　C: カピカピしている

「じっくりつくる」って具体的にはどういうことですか？
例えば、ガスを使うと早くて安上がりだけどうちはこのへんでは唯一備長炭《びんちょうたん》を使ってるんだ
あと、白焼きしたものを冷蔵庫に入れておくと1週間くらいもつけどそれだとだんだん劣化するよね
ピチャッ
ピチャッ
ついでに言うと、ふっくらやわらかい蒲焼きにするには蒸し時間を長くすればいいんだけど、そうすると焼くときにうなぎが崩れちまう
ボロッ
だから、うちはその日捌《さば》いたものはその日のうちに調理する
崩れないギリギリの線を見極めるのが職人の腕なんだ

【答え35】 A. カビが生えている　「び」が「ぴ」に変化。この変化は次に来る音が「た行」のときだけで、「かびる」とはいわない。似た例に「のびた」→「のぴた」、「浴びちゃった」→「あぴちった」がある。

まあ、うまいかどうかを決めるのはお客さんだからこちらは"これがいちばん"ってヤツを出すだけだけどね
もったいないです…
えっ？
こんなにこだわってるのに…
うなぎは冬が旨いんですよね？　だったらやりましょう…
「冬の土用※14」キャンペーン!!
それいい！
それで冬のお客さんが増えるかも！
前に静岡だかで「冬の土用」を流行らせようとして失敗したって…
大丈夫です
私たちが成功させますッ!!

茨城王《イバラキング》の「だっぺディア」vol.2

■**納豆**（P57 ※1）

朝食の定番・納豆。おいしいだけでなく健康食品として注目されていることはご存じのとおりで、免疫力向上、高血圧の予防、アンチエイジングなどの効果があるといわれている。そういえば健康番組で納豆を取り上げると翌日スーパーで売り切れ……なんてこともあったなぁ。

ところで、茨城では納豆を「なっとまめ」といったりするが、漢字で書くと「納豆豆」。文法的に「ナットく」できねーなぁ（苦笑）。

何とっ！県民食の納豆を朝食、酒のつまみ、おやつ代わりに頂くのは――
水戸藩開闢《かいびゃく》以来、
そぼろ納豆
干し納豆

■**偕楽園**（P58 ※2）

1842（天保13）年、第9代水戸藩主・徳川斉昭によってつくられた巨大な庭園。金沢の兼六園、岡山の後楽園とともに「日本三名園」のひとつとされる。広さは300ヘクタールで、三名園中ダントツ。ニューヨークのセントラルパークに次ぐ、世界第2位の都市公園（ということは日本一だっぺ）という触れ込みもあるが、これは千波公園や緑地帯も含んだ「偕楽園公園」の面積の合計である。

偕楽園といえば梅林が有名。園内には約3000本の梅の木が植えられており、毎年2月から3月の「梅まつり」の時期には、あたりが甘酸っぱい香りに包まれる。駅や駐車場から近い東門から入る人が多いが、表門（黒門）

とよばれる正式な入口は北側にある。ここから入ることで本来の世界観が味わえる仕掛けになっているので、ぜひ体験してみてほしい。

■しみじみ（P66 ※3）

茨城では、部活の顧問や会社の上司から「おめー、もっとしみじみやれ！」といわれることがけっこうある。それに対して「しんみり」とした態度をとっていたら、もっとどやされるだろう。標準語の「しみじみ」が「心に深く染み入るさま」であるのに対し、茨城弁の「しみじみ」は「みっちり」「しっかり」という意味なのである。これを理解していないと、会話がまったくかみ合わなくなるので注意しよう。

ちなみに、「みしみし」や「みぢみぢ」という言い方も存在するが、これは元となった言葉「みっちり」から「みっちりみっちり」→「みちみち」→「みしみし（みぢみぢ）」→「しみじみ」と変化したためだと思われる。茨城弁っちゃ、奥がふけーなやぁ～。

■オスペンギン（P66 ※4）

千葉県銚子市のすぐ隣に位置する茨城県神栖《かみす》市出身の山中崇敬《たかとし》（ボケ担当）と、愛知県名古屋市出身のでれすけ（ツッコミ担当）からなるお笑いコンビ。吉本興業の「茨城県住みます芸人」として2011年5月から茨城県で活動をしており、県内のテレビやラジオ、各種イベントへの出演のほか、自身のYouTubeチャンネル「オスペンギンの茨城おもしろ研究所」の配信など、茨城在住のお笑い芸人として息の長い活動を続けている。

ちなみに、「でれすけ」という名前は茨城弁で「だらしないやつ」「ダメなやつ」という意味で、でれすけが茨城に住みはじめたころによくいわれた言葉だったそうな。どんだけダメ人間だったんだ？（汗）

■**茨城ピース**（P66 ※5）

前述のオスペンギンが「右手がイバラキ」という名前で広めた手のサイン。人差し指、中指、親指の3本を大きく開くのが特徴で、人差し指＝北茨城、

中指＝大子、親指＝神栖の位置に該当する。が、親指が上に上がって人差し指に近づいてしまうと神栖の位置がおかしくなるので、神栖市民のためにも親指の位置はしっかり意識すること！

「やっぺポーズ」は、しゃがみ込んだ姿勢から、「しみじみ やっぺ！」のかけ声とともに、やおら「茨城ピース」をすることで完成する。みんな、「さいたまポーズ」に負けないよう、全国を席巻しよう！

■**茨城県民手帳**（P66 ※6）

茨城が全国に誇る「隠れたベストセラー」として、3万9000部発行されているビジネス手帳。拙著『いばらぎじゃなくていばらき』とほぼ同じ発行部数だが、こちらは毎年発行されているわけだから、トータルの発行部数はすごいことになっているはず。

予定表や住所録のみならず、茨城の統計データや役所の連絡先、県内の公立病院、さらには「茨城県民の歌」まで掲載されていて、自治体職員を中心に根強い人気を誇っている。標準判が500円、デスク判が990円とお手頃価格なのも人気の理由だろ

う。
ちなみに、「県民手帳」でありながら、巻末には東京の路線図が掲載されている。えっ、茨城のはないの？　まぁ、路線網が東京ほど複雑じゃないし、車社会だし……。
ちなみに県民手帳は全国41県で発行されており、2021年度の発行部数をみると茨城は全国2位である。ちなみに、1位は長野県の6万部、3位は群馬県の3万4500部だ。
2022年版の帯には私、イバラキングが推薦文を寄せている。前年はオスペンギン、さらにその前年はフリーアナウンサーの木村さおりさんが担当していた。3名とも統計情報を活用した茨城のPRに協力する「いばらき統計サポーター」を務めている。

■常陸野ネストビール（P67　※7）
「土産物にありがちな地ビールではなく、クラフトマンシップに裏付けられた「世界に通用するビールを」という思いで醸造している茨城が誇るクラフトビール。
茨城では那珂《なか》市の「常陸野ネストビール」のほかに、「やみぞ森林のビール」（大子町）、「しもつまビール」（下妻市）、「鹿嶋パラダイスビール」（鹿嶋市）、「BASSRISE」（かすみがうら市）、「さかい河岸ブルワリー」（境町）、「結城麦酒」（結城市）などのクラフトビールが味を競っている。
ちなみに茨城はビールの生産量日本一だが、それ

はほぼアサヒビール（守谷市）やキリンビール（取手市）のおかげ。ということは、茨城がなくなったら、大手メーカーのビールや特徴あるクラフトビールの供給に支障をきたすかもしれないということだな。

県外者よ、ビールを安心して飲みたいのなら、茨城県人と仲よくしておいたほうがいいと思うぞ。

■はがいがなくていじやけっちゃ（P73 ※8）

あなたが茨城県民ならば、この言葉でご老公のイライラした様子がリアルに伝わってくるだろう。でも、茨城弁初心者には少し難しいかもしれないので、わかりやすいように分解して解説しよう。

まず、「はがいがない」は濁音を取ると「はかいかない」となり、「はかどらない」という意味。「いじやけっちゃ」は「意地が焼ける」が語源で、「いらいらする」「腹が立つ」という意味の基礎的な茨城弁である。「いじゃける」「いっちゃける」などともいう。これに「〜ちゃう」の省略形「〜っちゃ」がついて、「腹が立ってしまう」という意味になる。

何？博多弁のようにかわいくないって!? ふ、ふん！かわいさをウリにしてるわけでないから、悔しくないぞ（半泣き）！

■りんりんスクエア土浦（P73 ※9）

駅に直結したサイクリング拠点は全国初！サイクルショップ、レンタサイクル、シャワーや更衣室など、サイクリスト向けのサービスをワンストップで提供している施設だ。

りんりんスクエア土浦が入る「プレイアトレ土浦」には、カフェやレストラン、ベーカリーなどのほか、星野リゾートの

手がける自転車を持ち込めるサイクリスト向けのホテル「BEB5」もオープン。合言葉は「ハマる輪泊」だそうで、星野さんに言わせればチューラ（「土浦」の地元民読み）は「サイクリストの隠れた聖地」なんだちけど。

おしゃらぐ（おしゃれ）でイガしてっとなぁ～。

■**れんこん**（P75 ※10）

全国でダントツの生産量を誇る茨城のれんこん。全国シェアは約50%で、東京の市場に限っていえば90%以上が茨城産だ。そのほとんどが土浦市、かすみがうら市をはじめとする霞ヶ浦の周辺で作られており、豊富な霞ヶ浦の水、広大な低湿地帯、肥沃な土壌、温暖な気候などの条件が重なったことで生まれた日本一なのである。

また、意外と見落とされがちだが、れんこんを栽培する「蓮田」が広がる景色も日本随一！　夏の青々とした蓮田と霞ヶ浦のコントラストは見事なので、りんりんロードを走るときはぜひ注目してほしい。

■**牛久沼**（P87 ※11）

千葉県にあるけど東京ディズニーランド、龍ケ崎市にあるけど牛久沼——。そう、牛久沼という名前だけど所在地は牛久市ではなく龍ケ崎市なのだ（沼の周囲は龍ケ崎市、牛久市、つくば市、つくばみらい市、取手市にまたがる）。

龍ケ崎市の金龍寺に伝わる伝説では、食べては寝てばかりいた小坊主がついには牛になってしま

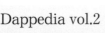

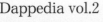

い、沼に身を投げたことから、牛食う沼→牛久沼と呼ばれるようになったとか。

牛久沼といえばカッパ。いたずらカッパをくくりつけたという松の木「カッパ松」も残されているし、カッパの絵で知られる日本画家・小川芋銭のアトリエだった「雲魚亭」もあるが、こちらは龍ケ崎市ではなく牛久市である。ちっとややこしかっぺ。

■ろっこく（P91 ※12）

東京・日本橋から千葉、茨城、福島を通って仙台にいたる大動脈・国道6号線のこと。国道は愛称で呼ばれることが少なくない。国道6号線は東京から水戸あたりまでは広く「水戸街道」として認知されているが、茨城県内では断然「ろっこく」である。南は取手から北は北茨城まで、県内ならどこでも通じる愛称で、これを知らなければ県民失格だっぺよ。私イバラキングが作っている茨城弁グッズのなかでも「ろっこくTシャツ」は大人気だ。

国道6号線の牛久沼付近は「うなぎ街道」といわれていてうなぎ店が点在してるんだって
国道6号線
常磐線
牛久沼
うなぎ街道

他に愛称で親しまれている国道といえば、千葉県香取市から霞ヶ浦の西側を通って古河を抜け、埼玉県熊谷市にいたる国道125号線。茨城では「ワンツーファイブ」と呼ばれている。ネーミングセンスはどうあれ（苦笑）、地元ならではの呼び方があったほうが愛着が湧くのはまちげねえべ！

■うなぎ街道（P91 ※13）

牛久沼周辺の「ろっこく」沿いに、うなぎの店が並ぶ一角がある。観光客はもちろん、地元の人たちにも熱心なファンを持ち、子どもの節句や行事のたびごとに利用されているそうだ。ところが、牛久沼にほど近い場所にありながら、うなぎを一切食べないところがある。「若柴」（龍ケ崎市若柴町）という地区だ。

うなぎは若柴の氏神神社・星宮神社の神様の遣いで、氏子たちのあいだでは「うなぎを食べると目が潰れる」という言い伝えがあった。うなぎを食べて、三日三晩苦しんだ、という話もある。だからいまでも、少なくとも古老たちは、うなぎを禁忌扱いにしているんだとか。

うなぎの町のすぐ近くにこんな伝説が残っているなんて、茨城の歴史は奥ふけーべよ。

■土用（P95 ※14）

立春、立夏、立秋、立冬の前の約18日間が土用。とくに立秋前の18日間（おおむね7月後半～8月頭）は「夏の土用」といわれる。江戸時代の発明家・平賀源内が、流行らないうなぎ屋に「本日土用丑の日と書いて貼り出せ」と知恵を授けたところ、店が大繁盛した――という話があるが、「丑の日」とはカレンダーに干支を当てはめて「丑」にあたる日のことだ。

丑の日にはうなぎのほかドジョウやナマズ、ナスなど黒っぽいものを食べる風習があった。これは丑の方角の守護神が玄武という黒い神様だったかららしいけど、ちょっと待て！　丑の日は年がら年中あるし、土用だって春夏秋冬ある。夏の土用だけ特別扱いする必要などどこにもないはずだ。

もとよりうなぎの旬は秋から冬にかけて。よって「だっぺ帝国」では「立春」前の18日間（おおむね1月半ば～2月頭）を「だっぺの土用」と認定。もちろん丑の日もあるから、大いに盛り上げていぐべ！

part

3

郷土のヒーロー将門公を忘れねーでくろ!

「ヒーロー」といえば誰を思い浮かべるだろう。
ウルトラマン？　仮面ライダー？　はたまた長嶋茂雄？
まあ、それもいがっぺが、茨城県でヒーローといえば、
やっぱし平将門だっぺよ。まあ水戸黄門もいっけどよ。
誰だ、「ほかにたいした人がいないから
将門を推しているんだろう」と言っているヤツは。
ガチで祟りがあっても知らねえかんな！

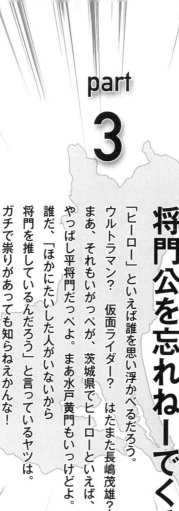

第10話 「ごじゃっぺかるた」で茨城弁の特訓だ！

プレハブ内
会議スペース
どうやらこのなかに裏切り者がおる…
わしが長年蓄積してきた貴重な資料がなくなっておるんじゃ…
くいっ
ここにそんな愚か者がいるとは思えませんが…
だいたいの見当はついておる…
フッ
茨城が浮上すると困るヤツ…
つまりよそ者じゃ！
くわっ

【問題36】 茨城弁上級者が使う「かまなかまね」とは？ A. 全然構わない B. 構わないといえば構わない C. 構う

!?
えっ、ボ、ボク!?
ハチは茨城生まれじゃないかもしれないけど一生懸命やってるよ
それを言うなら僕が一番の新参者だし…
ええい やかましいわ！
かくなる上は、かるたで裏切り者をあぶり出す！
これじゃ!!
茨城弁
ごじゃっぺかるた
『ごじゃっぺかるた』
読み上げCD付き――(※1)
読み札は茨城弁じゃ！
あだまの毛のぴちったから はぎっかな
「(◆)あだまの毛のぴちったから　はぎっかな」という具合じゃな
このかるたは「茨城王《イバラキング》」こと青木智也氏が監修した、茨城の美しい方言を後世に伝えるための文化遺産じゃ
いや どうも
KENMIN TAISO

(◆)髪の毛が　伸びちゃったから　切ろうかな

【答え36】 B. 構わないといえば構わない　「どっちかといえば構わない」という微妙な状態のときに使用。雨が降りそうで降らない＝「ふんなふんね」。まだ来ないけどいずれ来るはず＝「くんなくっぺ」。

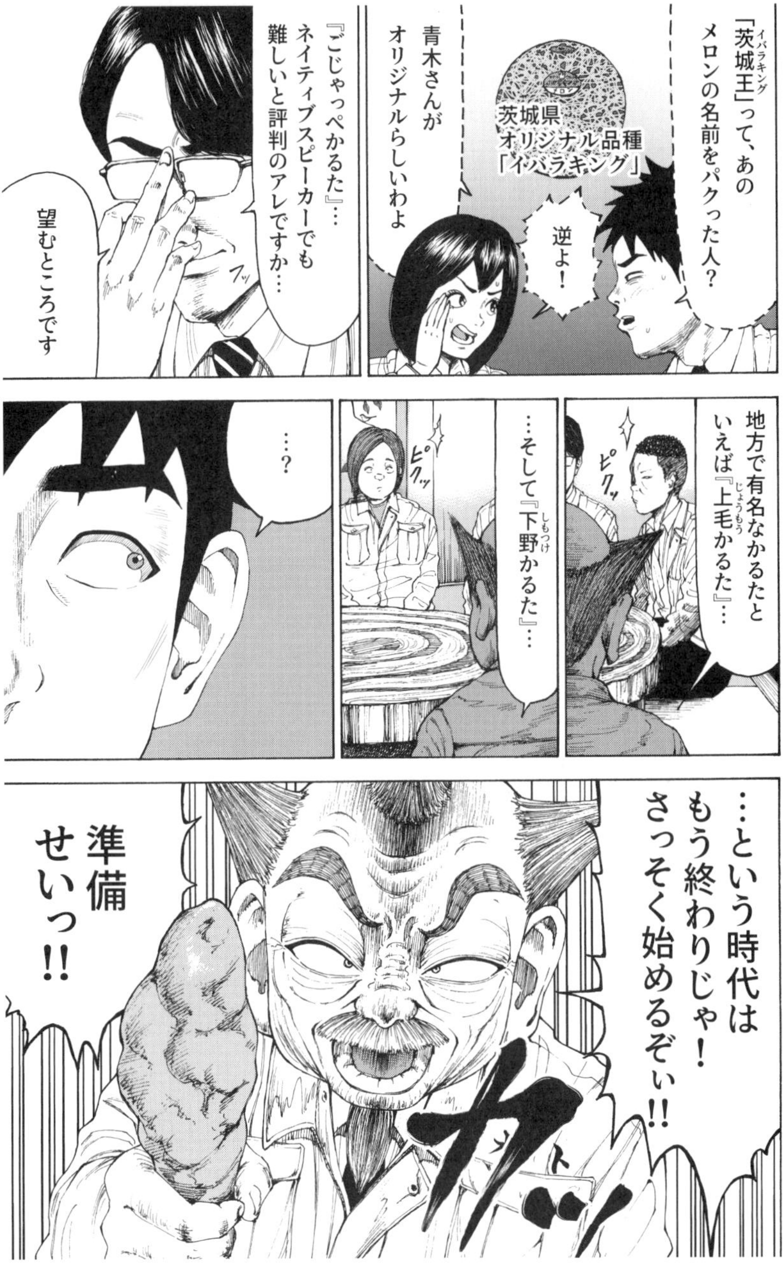

「茨城王《イバラキング》」って、あのメロンの名前をパクった人?
逆よ!
茨城県オリジナル品種「イバラキング」
青木さんがオリジナルらしいわよ
『ごじゃっぺかるた』…ネイティブスピーカーでも難しいと評判のアレですか…
フッ
望むところです
地方で有名なかるたといえば『上毛《じょうもう》かるた』…
ピクッ
…そして『下野《しもつけ》かるた』…
ピクッ
…?
…という時代はもう終わりじゃ!さっそく始めるぞぃ!!
準備せいっ!!

【問題37】　「かめ」「かーめ」「かんめ」といわれる生き物は何?

ズラリ…
読み上げはC《こ》Dプレ《い》イヤ《っ》ーじゃ
ニッ
ネイティブ発音は手強いぞぃ
カチッ
それではスタート!!
(◆)色えんぴつの　芯が折れて　飛んでいった
(◆)えろいんぴつしんおっちょれてとんでった
ハァンッ
ハァイ

【答え37】 蚊　　犬め、ねごめなどのように生き物の名前の後ろに「め」を付ける用法のひとつで、北では「かんめ」、南は「かめ」または「かーめ」が多く使われる。

ポコッ
はい、お手つき
！
え～っ、「いろえんぴつ」だから「い」でしょ？
チッチッチッ
茨城弁では「い」は「え」と発音されることが多いの
「えろえんぴつ」だから「え」よ
ケケケ
え
えっ…エロ鉛筆!?
(◆)おいしいでしょ　わらづとにはいった　納豆は
マジか…ムズすぎるだろ…東京で10年暮らしたせいか…
(◆)んまがっぺ つとっこ入った なっとまめ
うっ
うまく聞き取れない…！
このままじゃ裏切り者にされてしまう…！

【問題38】　「かんそいも」は全国では一般的になんと呼ばれている？

やった!「うまがっぺ」の「う」!
ポニッ
はい、お手つき
え?
こっちだよ、こっち
ブッブー
ん
「ん」まがっぺだからな
あ～～～
いじやける～～～～～～(※)
※いらいらする
ゴゴゴゴゴ
ほぉ
プスプス
自然と茨城弁が出るのは良い傾向じゃ
(◆)ぶつかったら　死ぬことだって　あるからね
(◆)ぶつかっちゃおっちぬこともあっかんね
うおおおおお
バァン
「ぶ」はない…から「ふ」!!

【答え38】 ほしいも　　茨城がシェア90%以上を誇るソウルフード。静岡から伝わったものだが、気候風土が合っていて、食べるサツマイモの日本一の産地である茨城がトップシェアとなった。

残念！
「ふ」じゃなくて「ぷ」よ。
○ ×
ぷ
ふ
まあ、茨城の方言って、場所によって微妙に違う(※2)から、無理もないけど
ふふふ…
ジ〜ッ
そろそろ後半戦かの…

(♣)とんでもなく　寒いよね　雪が降っちゃ

(♦)大丈夫だよ　青あざぐらい　なんてことないよ

(♦)だいじだよ
あおなじみぐれぇ
なんちゃねえ
これくらいは余裕です
1位 格之介
13枚
(♣)むぎもなぐ
こっつぁみーどな
いぎ降っちゃ
多分
これかな？
サッ
2位 ハチ
12枚
(♥)ちくらっぽ
バレて
いっぱづ
「ごぎ」くらう
私でも半分くらい
しかわかんない……
うう…
3位 五月
11枚

(♥)ウソが　ばれて　一発げんこつをくらった

ハァ
ハァ
ハチ君
2位なんて
すごいじゃん
へへッ

【問題39】　「かんめのおやじ」とは？　A.頑固親父　B.オスの蚊　C.ががんぼ

・・・さすがだな
ポンッ
ねぇ「さすが」って……
…？
ん？
これは…？
サッ
会員券かな？
…ロリっこキャバクラこうどうかん…
あ〜、こら返せ！
ひょっとして、なくなった大事な資料って……

【答え39】 C. ががんぼ　　かんめほど普及していないが、県北の一部地域では「ががんぼ（通称：かとんぼ）」のことを、蚊のお父さんという意味で「かんめのおやじ」と呼んでいる。

こんのスケベジジイ!!
みんなを巻き込みやがって!!
店に100回行ったらスペシャルマッサージ特典があるんじゃ…
あと1回だったのになくしちゃって…
しゅん…
ずーん
…さてと、わしゃ"好童館《こうどうかん》"に行ってくるかな…
ソロ〜
サササー

【問題40】 「がんがん」とは? A. がつがつ B. 一斗缶の空き缶 C. マシンガン

結局資料は盗まれてないってことか…
よかった…
でも、助さんが言った「さすが」っていう言葉が気になるな
それに助さんが最下位だったことも…
！
あと、「上毛かるた」や「下野かるた」って言葉に二人だけが反応してましたよね？
…
見られてたのか…
じつは…
ギャ〜〜
ウフフ
バタバタ
スペシャルマッサージです！
わしゃロリっこが好きなんじゃ〜〜

【答え40】 B. 一斗缶の空き缶　　ジュースなどの空き缶を「かんかん」というが、サイズの大きい灯油の一斗缶などの空き缶は「がんがん」といって区別している。

助さん、「さすが」ってどういうこと?
ハチくんが、東京の人なのに「ごじゃっぺかるた」が強いってことがわかってたんですか?

第11話　北関東サバイバルレースに勝ち残れ!!

…じつは、ハチのお袋さんは笠間《かさま》生まれなんだ(※3)
じゃあ お父さんが東京?
いいや 益子《ましこ》(※3)生まれだ
益子って栃木の!?
でも、どうしてなまってないの?
パパの教育方針でテレビはNHKしか見せてもらえなかったし…
学校は東京のアメリカンスクールだったし…
パパ…
アメリカンスクール…
まったくもって似合わん…

【問題41】「おまえ」「てめえ」などをあらわす「きこ」を漢字で書くと?

ハチの親父さんは地元じゃ有名な芸術家なんだが事情でいまは母方の実家――笠間にいるんだ
だから茨城弁のリスニングには問題なかったのね
笠間と益子ってすぐ隣り同士だからもともと言葉も近かったしな
栃木県
益子町
笠間市
茨城県
で
助さんはどうして「ごじゃっぺかるた」を聞き取れなかったんですか?
お、オレは…
バッ
茨城生まれだ!
…が
桐生《きりゅう》育ちなんだ
桐生ってひょっとして…
まさか…
私たちが栃木以上に警戒している…
ヘタッ
ああ、ダメ…
私には言えない…
……ぐ……
プルプル

【答え41】 貴公　　おまえ＝御前、てめえ＝手前などと同じように、もともとは目上の人を敬って言う言葉だったが、しだいに同輩や目下の者に対して使う言葉になった。

群馬…！
キェェェェ
そ、そうさ。
オレには半分
群馬の血が
流れている…
いまは茨城に
戻っているが
ほどんど桐生で
育ったから
じつは茨城弁は
あまり得意じゃ
なくてな
そ、それだけ
じゃなくて…
！
よ、よせ！
ぐいっ

【問題42】「きびしょ」の意味で間違っているのはどれ？　A. 急所　B. 急須　C. くるぶし

…ボクたち、ホントはプロジェクトの邪魔をしていたんです
ええっ!? どういうこと?
チッ、仕方ねぇ……
ドカッ
プロジェクトが成功して茨城の地位が上がるとオレたちもうれしい。なにせ茨城はオレたちのルーツだからな
でも、茨城が魅力度47位から浮上すると割を食うのは…
群馬
ピッ
そして栃木だ
ピッ
茨城は2012年に1度だけ47位から脱出したことがあるがそのときの最下位は群馬…
栃木も30位台になったことは1度しかない
41
42
43
44
45 佐
46 茨城県
47 群馬県
つまり、地域ブランド調査のランキングは実質、北関東3県が負のデッドヒートをくりひろげているわけだ
ワ
ワ
トトトト
!?
3県だけトラクターで周回遅れ

【答え42】 A. 急所　「急須（きゅうす）」を「きびしょ」という地域は全国に点在しているが、「くるぶし」の意味で「きびしょ」を使うのは珍しい。かかとをあらわす「きびす」からきている。

茨城は最下位に慣れてそうだけど…
栃木や群馬が最下位になると暴動が起きるかもしれないので…
だっぺ野郎の陰謀だ！
おめえたち余計なことすんな！
ドドドド
ひぃぃぃ
にっ逃げっぺ
現状維持がみんなのためだと思ってな
それでネガティブなことばっかり言ってたんだね
自慢の納豆で1位取れないって、ちょっとショックっスよね
ってかそもそもれんこんって、おいしいもんでしたっけ？
ホントにこんなところにあるんスか
唯一の名産もんね…
でもぶっちゃ、みかんとか赤米のビールって万人受けはしなそうっスね…
でも、駅がないんスよね
まさかね
すいません…
でも、みなさんが必死でやっているのとまじめに取り組んでいる茨城の人たちの声を聞いて考えを改めました
つまり…
しみじみ…
やっぺ！
っスー！

【問題43】「くちはび」「くっちゃび」などと呼ばれるヘビは何？

…そういうことでしたか。
でもまあ、雨降って
地固まるといいますから
居酒屋
あらためて
頑張ろうね
ぐにっ
…はい
あんたのオタク
知識、けっこう
役立つんだから
グスン…
助さんも、よろしく
頼みますよ!
わーってるよ!
しみじみやるって!
でも…
群馬や栃木に
勝つって、けっこう
大変なこと
だと思うけど…
そんなことは
ありませんッ!
タンッ
ポテンシャルなら北関東一…
ガバッ
いや関東でも埼玉や
千葉には負けませんよ!
世界遺産(※4)
はないけどな
有名な
温泉地も
ないっスね
栃木には鬼怒川、
那須、塩原、
湯西川なんかが
あるケド
群馬には草津、
伊香保、四万、
万座、水上……と
全国クラスの
温泉地が目白押し
だぜ
なに
よッ!
奥久慈とか
北茨城(※5)には
いい温泉宿が
あるんだから
ダンッ
ちょっと
負けてる
気が…

【答え43】 マムシ　　マムシの古い呼び名「くちばみ」がなまったもの。マムシは茨城県内にも生息している。
使用例：くっちゃび出っからきーつけろ（マムシが出るから気をつけろ）

山だって、群馬には赤城山に浅間山、草津白根山に榛名山、谷川岳…名の通った山がたくさんあるぞ
山なら栃木も負けてませんよ白根山、男体山、月山、羽黒山…
そういえば茨城には山らしい山がないッスよね
あっ
このごじゃっぺが！
わっ
茨城にはわれらが筑波山(※6)があるでしょうよ！あと男体山(※7)は茨城にもあんだからね！
奥久慈の男体山は、だれも知らないんじゃないかと…
ぐびっ
ちょっとアンタ誰の味方？
茨城がバカにされて悔しぐねーんか？
悔しいですよ！でも…
温泉や山があるかないかは誰かが努力した結果じゃないしぶっちゃけどうでもいいです
ヒック
それより大事なのは…

【問題44】　「犬めがくっつぐ」とは犬が何をした状態か？　A. ぴったりくっつく　B. 噛みつく　C. エサを食べる

僕たちがこの地元をどれだけ愛し大事にしてきたか…
そしてその思いを育てていこうとしているかじゃないでしょうか
にーい
ね？サツキさん…
ちょっ…
このでれすけ！
ゴッ
あ、私明日、有給だから
フンッ
……
バタン
…？
スリスリ

【答え44】 B.噛みつく　「くっつぐ」は「食いつく」がなまったもので、くっついてくるわけではないので誤解のないように。ちなみにくっついてくることは「くつかる」「くっつがる」という。

JR
JR東日本
水戸駅
MITO STATION
ピッ
第12話 郷土のヒーロー・将門の聖地巡礼に行ぐべ！
僕たちは、有休をとった五月さんのあとをつけている。
かるたの《あのとき》五月さんの様子が、なんとなくおかしかったからだ。
そのために僕たちも休みをとった…
あっ「ひたち」に乗った
僕らも行こう
スッ
サッ
KANGOL
何やってんだろう？
…あれ？

【問題45】 茨城の「県北」の正しい読み方は？ A.けんほく B.けんぼく C.けんぽく

東京駅
ピタッ
ここは…
「将門塚」※8だ
桓武天皇の5代目子孫である平将門※9は茨城県の石下あたりで生まれ育ったらしい。
平将門《たいらのまさかど》（？〜940年）
国司（いまでいう県知事。中央貴族がつとめていた）が庶民を搾取している現実に反発。
彼らを討ち取って関八州――つまり関東全域を平定し、自ら新皇（しんのう）を名乗った。

【答え45】 C.けんぼく　県の区分で、「けんほく」と思われがちだが「けんぼく」が正しい。岩手、秋田、宮城、福島も「けんぼく」というが、岡山、長崎、熊本は「けんほく」といっているようだ。

しかし、朝廷の命を受けた追手と対峙し矢でこめかみを射抜かれ無念の死を遂げる。
が、3日目に故郷に向かって舞い上がった。
カッ
ぶわっ
その首は平安京の都大路でさらされていた。
落ちた場所のひとつといわれるのがこの「将門の首塚」である。
こんなところにあったんスね。でもビル街にポツンとあってなんだかヘンな感じ
取り壊そうとしたら、けが人や死人が出て大変なことになったんで、いまは大事にされてるようだけど…
すっ
すくっ
あ、タクシーに乗っちゃった
バタム
ダッ
僕らもタクシーで追いかけよう!
了解っス!

【問題46】 茨城弁の「こわい」の意味で間違っているものは? A.疲れた B.硬い C.えらい

TX つくばエクスプレス TSUKUBA EXPRESS
01 秋葉原駅
Akihabara Sta.
秋葉原駅に着くと五月さんはつくばエクスプレスに乗り込んだ
TX
守谷駅で常総線に乗り換え水海道駅へ
その後再びタクシーに
いったい、どこ行くんスかね
あっ!
そういえばあのとき…
平野さん何してるんですか?
※第3話参照
キッ
…!
将門の三女が創建したといわれる…
ザッ
ザッ
国王神社※10…!

【答え46】 C. えらい　　茨城では「疲れた」「しんどい」という意味で「こわい」が多用されるが、「硬い」という意味でも使われ、赤飯は「こわめし」と呼ばれる。

再び移動して「延命院」※11へ
延命院
将門公胴塚
胴塚ってココにあったんだ…
そこからさらに移動した
草むらのなか……
ザワ…
ザワ…
何か不気味なとこだね
ザッ
ザッ
ザッ
グルッ
あっ…
あんたたち、どういうつもり？
なんでここにいるの？
ずいっ
えっと、その…ぐ、偶然ですねぇ…
んなことあるわけねーべ！
あとをつけてきたんだっぺ!?
てか、ここってなんスか？朽ち果てたお宮に見えるけど

【問題47】 茨城で町外れ、田舎を意味する「ざい」を漢字で書くと?

北山稲荷大明神※12
オオオオオ
将門公が亡くなった場所よ
…今日、五月さんがお参りしたところって全部将門に関係する場所ですよね？
それに以前列車のなかでお祈りしてたのって…
郷土のヒーローを大事にするのは県民の義務でしょ
今日は何の日かわかる？
3月25日。将門公が討たれた日よ
ザワ
ザワ
公式には2月14日ということになっててイベントはその日にやることが多いけど私は毎年旧暦2月14日、つまり今日、お参りしているの！
てゆーか、なんでつけてきたの？
…裏切り者騒ぎのとき五月さんの態度がなんとなくおかしかったので…
そ、そんなことないわよ
じゃあ、その書類、なんスか？
!
これは…
…いいわ、話してあげるその前にもう1ヵ所付き合いなさい

【答え47】在　「在方」の略で、町外れや田舎を指す言葉。なお、町の中心部は「町内（まちうち、まぢうぢ）」といわれる。　使用例：でどはざいのほうだっぺ（出身は町外れのほうだろう）

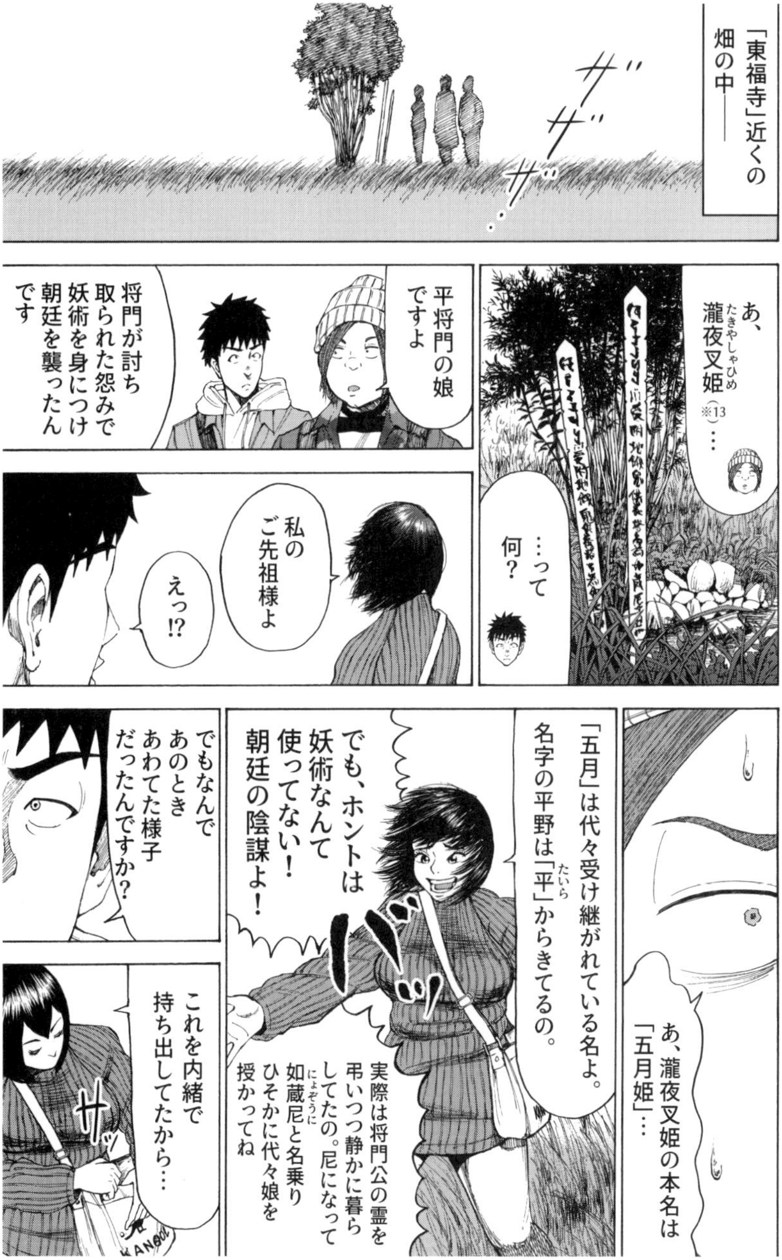
「東福寺」近くの畑の中――
ザザザ…
あ、瀧夜叉姫《たきやしゃひめ》※13…
…って何？
平将門の娘ですよ
将門が討ち取られた怨みで妖術を身につけ朝廷を襲ったんです
私のご先祖様よ
えっ⁉
あ、瀧夜叉姫の本名は「五月姫」…
「五月」は代々受け継がれている名よ。名字の平野は「平《たいら》」からきてるの。
でも、ホントは妖術なんて使ってない！朝廷の陰謀よ！
バッ
実際は将門公の霊を弔いつつ静かに暮らしてたの。尼になって如蔵尼《にょぞうに》と名乗りひそかに代々娘を授かってね
でもなんであのときあわてた様子だったんですか？
これを内緒で持ち出してたから…
サッ

まだ読めてないけど…
瀧夜叉姫の真実
1000年以上たつうちに何がホントかあいまいになっちゃっているから
ご老公のとこにあったこの資料を借りちゃったの
ホッ
そうだったんですか…なんだか安心しました
なにあんた、ひょっとして、ストーカー？
そ、そんな…！
…あのぉ…
それ、よく見てください
ん？
ペラッ
…なに、これ…
陰陽師ですが、妖術使いと恋に落ちちゃいました
ボクが書いてるラノベです。なくなったと思ったら、五月さんだったんスか
読まれたくなかったんでフェイクの表紙にしてたんスよ
ズズズ…
私のルーツにつながる新しい資料を見つけたと思ったのに
よりによってあんたの駄文だったなんて！
許すまじ！
行けー
カタ
カタ
妖術なんて使ってないって…
絶対ウソっス！

茨城王《イバラキング》の「だっぺディア」vol.3

■ごじゃっぺかるた（P106 ※1）

正式名称を「茨城弁ごじゃっぺかるた」といい、私イバラキングが企画からデザイン、解説、読み上げCDのナレーションにいたるまで完全プロデュースしたご当地かるた。ポップでカラフルな絵札とは裏腹に、内容はネイティブイバラキアンでもすべて理解するのは難しいとされるガチ仕様。とはいえ、読み上げCDがついているから、茨城弁初心者でもノープロブレムだ!

また、読み札には標準語訳と重要語句の解説が書かれていて、読んでいるうちに自然と茨城弁に詳しくなれるぞ。茨城弁の学習教材としてもパーヘクトだっぺよ〜!

■（茨城の方言は）場所によって微妙に違う（P111 ※2）

他県の人間からすれば同じようにしか聞こえない茨城弁だが、じつは地域や世代によって微妙に違っており、県民同士でも使う／使わないで揉めるのは、「茨城弁あるある」のひとつだ。

たとえば、県央・県北でメジャーな「いしこい」「いしけー」（＝ぼろい、醜い）は南ではまったく使われないエリアがある。県西を代表する茨城弁でウソを意味する「ちくらっぽ」「ちく」は他のエリアではあまり知られておらず、逆に「ちぐぬぎ」（＝ウソつき）のように県西では使われない言い回しが存在する。

土地が広い茨城で、言葉にさまざまなバリエーションが存在するのは当たり前。その違いを楽しむことができる者こそが真の茨城弁マスターといっていいだろう。

■笠間／益子（P115 ※3）

茨城県笠間市から栃木県益子町まで鉄道で行こうとすると、JR水戸線と真岡鐵道を乗り継いでたっぷり1時間以上かかってしまう。が、じつはどっちも八溝山地（茨城県と栃木県にまたがる）に属しており、山越えするバスなら40分くらい、マイカーなら30分程度で行ける距離なのだ。

笠間と益子ってすぐ隣り同士だからもともと言葉も近かったしな
栃木県
益子町
笠間市
茨城県

笠間は都心から最も近い焼き物のまちであり、益子も「益子焼」で知られている。世間じゃ「益子焼」のほうが名が通っている印象があるかもしれないが、もともと笠間で修業した人が益子で窯を築いたのがはじまり。

つーわげで、笠間焼と益子焼は兄弟みてーなもんだっぺな。関東の二大陶芸産地「かさましこ」として連携してっから、仲いーんだわ。

おい、そこの群馬県民、ほんとはどっちが上なの？とか、いたずらに煽るんじゃないっ！

■世界遺産（P120 ※4）

栃木県には「日光の社寺」（1999年に登録）、群馬県には「富岡製糸場と絹産業遺産群」（2014年に登録）という世界遺産がある。が、不覚にも茨城県にはひとつも存在しない。いや、動きはあるのだよ。過去に弘道館や偕楽園などを「水戸藩の学問・教育遺産群」として登録を目指したものの失敗してしまったのだ。

そこで、栃木県足利市の「足利学校」、岡山県備前市の「閑谷学校」、大分県日田市の「咸宜園（かんぎえん）」といっしょに「近世日本の教育遺産群」としての登録を目指しているところである。

あっ、でもこれが成功したら栃木にふたつ目の世界遺産が誕生してしまうのか。ちょっと複雑……。

■奥久慈、北茨城の温泉（P120 ※5）

有名な温泉地がないといわれる茨城だが、温泉がないわけではなく、あくまで知られていないだけで、じつは県内に広く存在している。なかでも奥久慈温泉郷は、大子、袋田、月居からなる県内屈指の温泉郷で、とくに紅葉の季節はおすすめだ。

なによッ！
奥久慈とか北茨城にはいい温泉宿があるんだから
ダンッ

いっぽう、北茨城は五浦、磯原、平潟港……などの温泉で知られる。海が近いので、群馬や栃木が泣いて悔しがる「オーシャンビュー」の露天風呂もあるぞ〜。ヤッホー！

■筑波山（P121 ※6）

「西の富士、東の筑波」といわれ、万葉集にも詠まれた名峰「筑波山」。877mという低さなのにもかかわらず、日本百名山に選ばれているのは伊達じゃない。ウリはなんといっても2つの峰が並び立つ形の美しさ。さらに、周りがだだっ広い関東平野というのもポイントで、まあ茨城は高い建物もないし（笑）、かなり遠くからでもその姿を拝むことができる。その証拠に、筑波山は茨城県内の学校の校歌の歌詞に使われるスポットのナンバーワンだ。「それは当たり前だろう」と突っ込む他県人がいるだろうから付け加えておくと、千葉や栃木でも筑波山を校歌に使用しているところがあるのである！
ただ、思い入れが強すぎるため、普段目にしている姿こそ「ザ・筑波山」だと思っている茨城県人は多い。もちろん私もそのひとりである（笑）。
前述のとおり筑波山には2つの峰があり、場所によって峰同士の距離や高さが違って見える。つくば市の中心部（山の南側）から見ると、左が男体山、右が女体山で、女体山が高く見えるのだが（実際6m高い）、ダイゴや私イバラキングの住む常総市石下地区はやや西寄りということもあって、左の男体山のほうが少しだけ高く見えるから不思議なものだ。

ごじゃっぺが！
茨城にはわれらが筑波山があるでしょうよ！
あと男体山は茨城にもあんだからね！
わっ

■男体山（P121 ※7）
「男体山はどこにありますか？」という問いに、「栃木」や「日光」と答えた人は（※7）を3回読んで出直してきなさい。
というわけで、茨城で男体山といえば、7割以上の人が「筑波山の円すい形のほう」を思い浮かべるはずだ。だが、県内にはもうひとつ男体山がある。それが袋田の滝からほど近い「奥久慈男体山」だ。かつて修験道の修行場として使われていた山は、654mという標高のわりに登り甲斐があるとして登山者には大人気だ。
ちなみに、山岳の専門サイト「ヤマケイ オンライン」で男体山を調べると、奥久慈と日光の男体山は出てくるが、筑波山は出てこない。あ～いじやける！

■将門塚
（まさかどづか／しょうもんづか）（P124 ※8）

東京の大手町にある平将門の「首塚」。取り壊そうとしたら、工事関係者が相次いで事故に遭うなど、数々の祟りで知られるミステリースポットのひとつ。だが、近年は最強のパワースポットとの呼び声も高い。

「将門塚」だ

首塚ということで仕事がクビにならないように……とか、将門の首が戻ってきたことから、左遷されても無事帰って来られるように……という願掛けに訪れる人が跡を断たない。大手町という場所柄か、とくにビジネスマンの需要が高いようだ。塚の周りにガマ（カエル）の置物がたくさん置かれているのも、カエル＝「帰る」からきているらしい。同じく強力なパワースポットとして有名な神田明神も平将門を祀っているので、いっしょに回ってみてはいかがだろう?

なお、将門塚や神田明神を訪れた人は、千葉の「成田山新勝寺」にだけは行っちゃダメだかんな! あそこは将門討伐を祈願して創建されたところだから、将門やその家来の子孫はいまでも参拝に行かないらしい。祟りがあっても知らないぞ〜。

■平将門（P124 ※9）

「平将門の乱」で知られ、時代によっては逆賊のイメージで語られる将門。だが、日本で最初に騎馬隊を編成し、馬上からの攻撃に適した反りのある刀を最初に作ったともいわれている。騎馬の機動力を生かした圧倒的な強さでまたたく間に関東を平定。武士のさきがけでもあり、領民のために中央権力に抵抗した悲

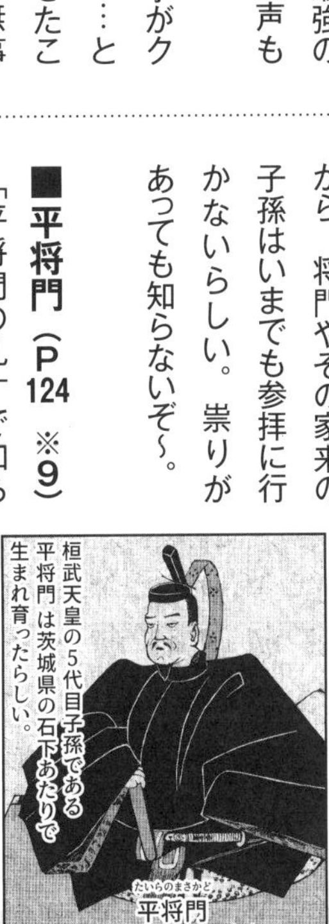
桓武天皇の5代目子孫である平将門は茨城県の石下あたりで生まれ育ったらしい。
平将門《たいらのまさかど》
（?〜940年）

劇のヒーローとして、東国では古くから英雄視されてきた。明治以前に関東で「●●明神」と呼ばれていた神社の多くは将門を祀っていたことからも、広く民衆から支持されていたことがわかる。

　将門を主人公にした大河ドラマ「風と雲と虹と」が放送された1976年はとくにアツかったらしい。当時3歳だった私だが、「地元住民がエキストラで出演したんだ」とばあちゃんが語っていた記憶がうっすら残っている。

■国王神社（P126 ※10）

　将門終焉の地に、三女である如蔵尼《にょぞうに》が建てた坂東市にある神社。

　祀られているのはもちろん平将門で、如蔵尼が彫ったとされる将門の木像が秘蔵されている。毎年11月に催される将門まつりでは、国王神社を出発した100人の武者行列が市内を練り歩く。

将門の三女が創建したといわれる…
国王神社…！

　坂東市は将門が本拠地とした場所ということもあり、将門にちなんだスポットや産品が多いが、なかでもおすすめは「将門煎餅」。香ばしくって、んーめえど！

■延命院（P127 ※11）

　将門の胴体を埋葬した「胴塚」がある寺院。地元では「島の薬師様」として親しまれている将門の菩提寺「延命寺」とは別の寺なので、注意されたし。胴塚は「神田山」や「将門山」とも呼ばれ、神田山はこの一帯の地名にもなっている。

　ちなみに「神田山」は「かんだやま」ではなく、「かどやま」と読む。茨城に数多い難読地名のひとつだ。

■北山稲荷大明神（P128 ※12）

将門が亡くなった地に建てられたといわれる国王神社。だが、本当の最期の地と伝えられるのがこの北山稲荷大明神だ。『平将門の乱』を描いた『将門記』（11世紀に成立）にある、将門が最後に陣を張った場所「北山」が、ここだと考えられているのだ。

周囲はまったく整備されていないので、雰囲気は満点。祟りがあるといわれる「将門塚」より、ずっと「何か」がありそう。訪ねるなら、ちゃんとお参りするつもりでないと、何があっても知んないかんね。

■瀧夜叉姫（P129 ※13）

将門の三女は仏門に入って如蔵尼となり、やがて国王神社を創建したと伝えられる。その一方で、都への恨みのあまり妖術を身につけ、復讐を繰り返したという話や、妖術使いになったのはガマの吐く息を吸ったからだ、いやいや、そもそも如蔵尼は将門の親戚の子だ、と話は錯綜。それらが歌舞伎や読本に取り上げられ、やがて『陰陽師』として小説や映画、テレビドラマの題材にもなった。

最もポピュラーだと思われるのが、将門の三女・五月姫（のちの如蔵尼）が、父の無念を晴らすためにガマの妖術を身につけ、瀧夜叉姫と名乗ったという伝説。ガマといえば筑波山が有名で、茨城では自宅の玄関先に石で彫ったガマの置物を置いている家をちらほら見かけるが、将門塚にガマの置物がたくさんあるのは、瀧夜叉姫とも関係しているのかもしれない。

ちなみに、瀧夜叉姫の墓といわれるものは東北地方を中心にいくつかあるが、やはり筑波山のふもと、つくば市にあるものが最有力だと信じたい。その末裔である「平野五月」が使っている財布は「がま口」で間違いないだろう（笑）。

あ、瀧夜叉姫《たきやしゃひめ》…

part

4

県民がこよなく愛する
巨人、メロンにB級グルメ

『常陸国風土記』をもとにつくられた
ダイダラボウをはじめとする巨大建造物、
鉾田《ほこた》が誇る日本一のメロン、
そして屋台をはじめとするB級グルメの数々……。
全国的なネームバリューはなくても、
県民はみんな愛してっと～！

茨城県庁
ダイゴさん
おはよっス
あっ
ハチくん
あれ、
なんだろ？
第13話 茨城は映画の聖地だっぺ！
映画かなんかの
撮影みたいっスね
おはー
ここ、よく映画の
ロケで使われるの
県庁だけでなく
県内のいたる
ところが撮影で
使われてるのよ
「フィルム
コミッション」っスね
フィルム…？
プレハブ内
ガラッ
おはよー
ございます
おっ

【問題48】 霞ヶ浦や北浦で捕れるテナガエビ（の子ども）は地元でなんと呼ばれている？

今日はお客さんを
紹介しようと思ってな。
凄腕のコンサルタント
昆《こん》沙《さ》流《る》さんじゃ
ニコッ
どうも、
よろしく
お願いします
コンサルタントって？
茨城のイメージを
一新するためには
茨城を客観的に判断できる
力が必要だと思っての
うむ
わしは
これから
会議があるから
よろしく頼んだぞ
じゃっ
ん〜？
じゃあ
始めましょう
くねっ
これまで、みなさんは
いろいろなところを訪ねて
茨城のいいところを
探してきたと聞きました
納豆会社やれんこん農家、
うなぎ店などを
取材しました
地元なのに
知らないことが
たくさんあって
勉強になったわ
……

【答え48】 ざざえび　全国的には「川えび」といわれており、茨城県の全国シェアは50%を超えている。ちなみにえびの卵を天日干しした「えびまこ」は希少性が高く、知る人ぞ知る一品である。

はっきり言って
ムダです
どういうこと？
彼を知り己を知れば
百戦殆うからず
って知って
ます？
自分のいいところばかり
知っていても意味はないのです
それでも、いいところを
見なおすことって
大事だと思うんですけど…
じゃあ、茨城で
自慢できることを
あげてみてください
まず、水が豊かで
うまいですね
だから
いい米ができるし
お酒もうまい！
京都、高知、北海道…
水質でもっと有名な
ところはいくらでも
あります
うっ
茨城の米？
だ～れも
知りませんよ
次ッ！
ドわッ
ア

【問題49】　茨城で使われる「ざっこ」を漢字で書くと?

め、メロンの生産量が日本一だぞ！ 栗にレタス、白菜、れんこん、ピーマン、水菜なんかも!!
茨城が日本の食卓を支えてる※1んだぜ！
バンッ
・メロン ・栗 ・レタス
・白菜 ・れんこん
・ピーマン ・水菜
キュ キュ
…？
農業以外何も能がないから当たり前でしょ！
いくらたくさん穫れても認知されてないんじゃしょうがないじゃない！
茨城といえば海！ 注目度ナンバーワンの魚・サバやイワシ類の漁獲高もトップクラスだかんね！
ぐぬぬ…
サバなら石巻の金華サバね。大間のマグロ、石川のノドグロ、高知のカツオ……名の通った魚はやっぱりおいしいわ！
…いま有名じゃないのはわかってますよ…
問題は…それをどうやって逆転するかってことなんです

【答え49】雑魚　一般的には「ざこ」と読み、取るに足らない存在という意味で「雑魚キャラ」などという言い方もあるが、茨城では小魚の総称という本来の意味で使っている。

有名じゃないからといって
おいしい物を作ることに
意味がないとは
僕は思いません
キッ
…なによ、
にらまないでよ…
昆さんは「イバラキング」を食べたことあります？
…？
ないわ
「ものすごい鯖」(※2)は？「あじよし」というれんこんは？
…知らないわ
それじゃあ、まだあなたは本当の茨城の魅力を知らない
だから僕たちは知ってもらう努力をするだけです
!

【問題50】「しょーぴき」は何の魚を加工したものか？

そっそうだ…次のクライアントが待ってるんだった！
もう帰らなきゃ！
そもそも居酒屋で茨城の悪口を言ってたら知らない老人に
おもしろい！
うちでぜひ話してくれ
って言われただけだし！
…またそのパターンか…
ハァ〜
何だったんだ、あれ？
さあ…
それより…
さっきのフィルムなんたらのこともっと教えてくれる？
あぁ…
「いばらきフィルムコミッション」※3っスよ
たとえば映画を撮ろうとすると適切な場所を探して、許可を取って撮影スタッフの宿や弁当を手配して…ってけっこう大変でしょ？
LOCATION
HOTEL
FOOD
それを丸ごとで面倒見ましょう、ってのがフィルムコミッションなの
県が推進している「フィルムコミッション事業」は全国でもダントツの成績よ
平成30年度
＜作品数＞
606作品
＜経済波及効果推計額＞
4億5千万円

【答え50】 鮭　茨城では「しょーぴき」「しょーびき」などと呼ばれるが、正式な名称は「塩引き鮭」である。なお、県内の一部地域ではお正月にこの鮭を餅にのせて食べる風習がある。

『カメラを止めるな！』※4や『下妻物語』、『翔んで埼玉』、『永遠の０』…
常陸風土記の丘
旧芦山浄水場
貴族の森
旧筑波海軍航空隊司令部庁舎
たくさんの映画がフィルムコミッションを通じて茨城で撮影されているのよ
『カメ止め』に出てきた廃墟は昔の浄水場なんだが欅坂のＭＶでも使われてるんだぜ
助さんって、ひょっとしてオタク趣味あり？
おうよ、ハチとの出会いはアイドルイベントだったしな！
そうだ、茨城自慢のフィルムコミッションを使って茨城の魅力をアピールする映画を撮りましょうよ！
いくらかかると思ってんの？
無理ね
クラウド…
ファンディング

【問題51】　茨城弁「しみじみ」の意味は？　A. しっとり　B. じんわり　C. みっちり

僕たちの志に賛同してくれる人の力を結集すればクラウドファンディングで…
映画だってできるはずだ！
茨城が虐げられていることに怒っている人が集まればひょっとして…
ひょっとするかもしれませんね
おぉ！
フンッ
となると主役は私ね
行けー
カタ
それじゃ怪奇映画になりそう…
いしら(※)聞こえてんだ！
※おまえら
ゴルァァ
わぁ!?

【答え51】 C. みっちり　「しみじみ」を「みしみし」「みぢみぢ」という人もおり、「みっちりみっちり」が語源だと考えられる。「しみじみやれ」といわれたら、たそがれていないでしっかりやろう！

茨城再生
うは〜、おなかすいた!
昼前になって、急に…
資料をまとめてくれ! 2時から会議なんじゃ
…ですからねぇ
第14話 茨城県人は“でっかいもの”がお好き!?
助さん、格さんは出かけてるし…
じゃ、遅いお昼に行こうか
ガタッ
いいですね
目の前の「すぎのや」か「梅の花」ですか?
いや、25階よ
クイッ
…えっ、本庁舎…?
裏のプロジェクトに携わっているダイゴらは本庁舎の職員たちと交流することが禁じられているのだ
世間の常識に毒されず自分の目と頭で考えるんじゃ!
というご老公の方針によるものなのだが…
だ、だいじょうぶですかね?
作業着を着てなかったらわからないわよ
ホラ

【問題52】 茨城弁の「しみず」とは? A.湧き水 B.女性の下着 C.秘密

「花水木」——25階(最上階)。おいしい紅茶と軽食が楽しめるおしゃれなティーラウンジ
こうしてみると「関東平野」が実感できますねぇ
おす
新年にはここで初日の出を楽しめるのよ
これは十分観光名所になりますよ！
……ん？
あの巨大なタワーみたいな建物ってなんですか？
あれは「G1タワー」※5
日立のエレベーター研究施設よ
日立製作所は、茨城にルーツを持つ企業である
日立市にあった日立鉱山の一部門として出発、やがて世界的電機メーカーに発展した
G1タワーは、その日立が強みを持つエレベーターの技術をさらにブラッシュアップするために2010年に完成させたもの
当時はエレベーター研究施設として世界一の高さを誇った

【答え52】 B. 女性の下着　　フランス語の「シュミーズ」がなまったもので、いまではスリップやキャミソールといわれることが多い。同じフランス語由来のシャッポ＝帽子はいまでもよく耳にする。

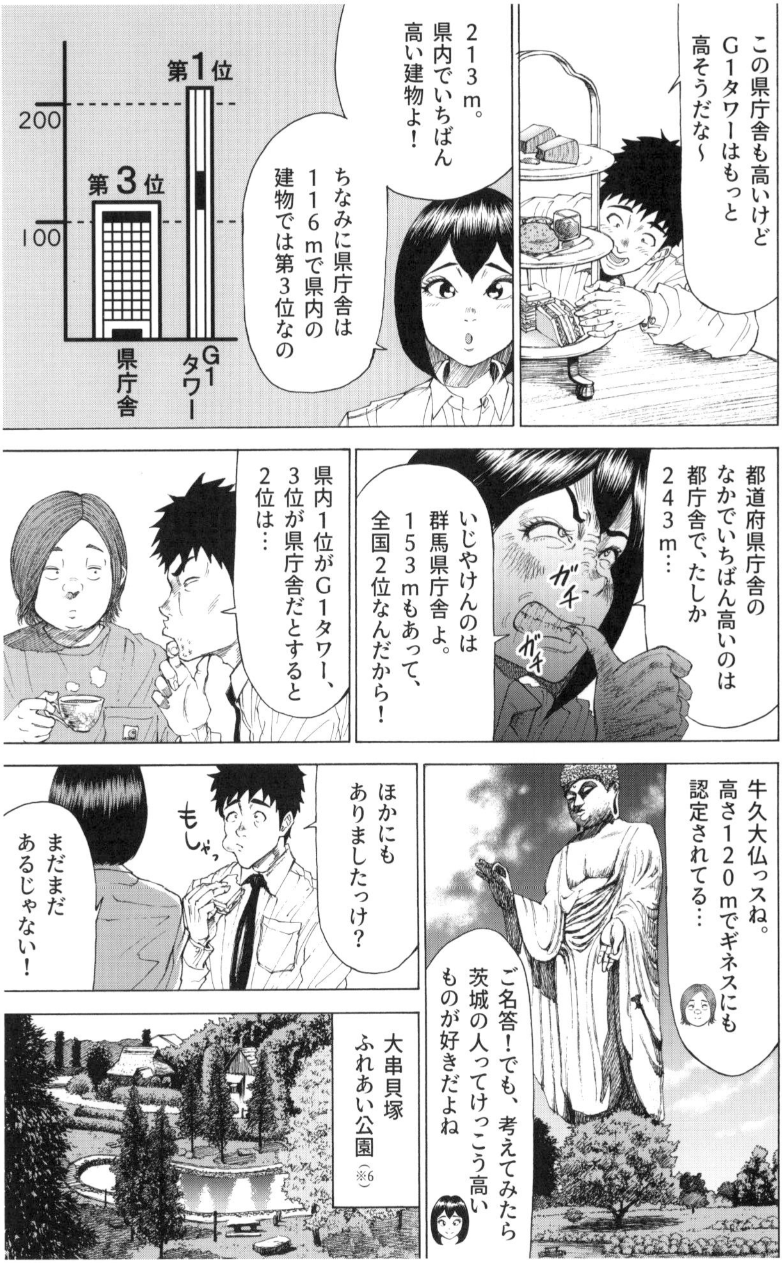
この県庁舎も高いけどG1タワーはもっと高そうだな～
213m。県内でいちばん高い建物よ！
ちなみに県庁舎は116mで県内の建物では第3位なの
第1位
第3位
200
100
県庁舎
G1タワー
都道府県庁舎のなかでいちばん高いのは都庁舎で、たしか243m…
いじやけんのは群馬県庁舎よ。153mもあって、全国2位なんだから！
ガチ
ガチ
県内1位がG1タワー、3位が県庁舎だとすると2位は…
牛久大仏っスね。高さ120mでギネスにも認定されてる…

ご名答！でも、考えてみたら茨城の人ってけっこう高いものが好きだよね

ほかにもありましたっけ？
もしゃっ
まだまだあるじゃない！

大串貝塚ふれあい公園(※6)

【問題53】　茨城弁の「しゃーんめ」とは　A.しょうがない　B.すげーうまい　C.シャンパン

ダイダラボウ《これ》よ
でっか！ってか中に入れるの!?
ダイダラボウ伝説は全国至るところにあるけど それに基づいてでっかい像を造っちゃったのって ここくらいなモンよ
たしか、ダイダラボウが筑波山に腰掛けたから あんな感じにへこんじゃったんですよね
山陰で作物が育たなくて困っている人を助けるためにダイダラボウが山を動かしたんだけど——
ズズズズ…
そのためにえぐれてしまったところが千波湖になったって聞きました
利根町にはダイダラボウが脱いだ笠を置いてできた笠貫《かさぬき》沼があるし…
ボクが住んでる笠間の隣の桜川市には「ダイダラボウの背負い石」があるっスよ
で、『常陸国風土記《ひたちのくにふどき》』によれば巨人が丘の上から海の貝をとって食べていて、それが積もったのがここの貝塚なんだって

【答え53】 A. しょうがない　「しょうがあるまい」がなまったもので、他に「しゃーねえ」「しょーね」などともいわれる。 使用例：じだばだしてもしゃーんめよ（ジタバタしてもしょうがないよ）

ちゃんと文献があるんだったら
単なる伝説ではないような
気もしてきますね
あっそうだ！
全国各地にダイダラボウ
伝説が残ってるんだったら
それをまとめて
「全国だいだらぼうサミット」を
やったらどうでしょう！
えっ、ダイダラボウを
集めるんスか⁉
ワク
ワク
でれすけ！
全国から水戸にダイダラボウが
集まったらそこらじゅう
穴メドだらけになっちまうわ！
…ダイダラボウの背比べとか
山のリストを発表するとか…
おもしろそうだから
もっと考えてみるか…
無視
メモ
メモ
目的地
水戸駅
現在地
オホンッ
「高いもの」は
これだけじゃ
ないの
西へ
行くわよ

【問題54】　茨城弁の「しゃじ」の意味は？　A. お礼の言葉　B. スプーン　C. 3時

「はに丸」で〜す！
ドーン
顔とポーズのドヤ感がすごい！ってかやっぱり中に入れるんだ!?
これってあの「はに丸」っスか〜？
ちがうわよ！モチーフが埴輪《はにわ》だからなんとなく似ちゃうのは仕方ないでしょ!!
くれふしの里古墳公園の中心にそびえる「はに丸タワー」は高さ17・3m。周囲には前方後円墳、円墳など16もの古墳が集まっている
なるほど、高いものはいろいろあるんスね
キコ
キコ
でしょ
それって、茨城は基本的に平らなところが多いからみんなちょっとでも高いものに憧れるからじゃないかな

【答え54】 B. スプーン　「さじ」がなまったもの。他に「さ」が「しゃ」になるパターンとしては「刺し身＝しゃしみ」があるが、「しゃじ」ほど使われていない。

東京って、ビルがニョキニョキ建ってるからちょっとくらい高い建物があってもなんとも思わないけど…
茨城で高いものがあるとそれだけで神々《こうごう》しいっていうか…
パワーを感じますよね
牛久大仏の年越しのライトアップはなんかシュールですけど…
でっかいものといえばほかにも日本一の獅子頭や日本一の木造犬（※7）があるわよ
獅子頭って、石岡でしたっけ？木造犬は？
「つくばわんわんランド」よ
それだけでっかいものがそろってるんなら例のフィルムコミッションを使って巨大像をモチーフにしたロボットが戦う映画をつくりましょうよ！
タイトルは「イバンゲリオン」！
それじゃパクリだっペッ!!

【問題55】　茨城弁で「しゃで」といえば？　A. 弟分　B. 弟　C. 先輩

ただいま〜…って、あれ?
ですから、ボールが腰より上の位置でサーブをしてはいけないのです
なに? わしの得点じゃろ!
何してるんですか?
パンポン(※8)だよ。
普及推進協議会の人にレクチャーを受けていたんだ
シュッ
ああ、「いきいき茨城ゆめ国体」のとき「デモンストレーションスポーツ」としてやっていたアレですね
パンポン――日立の工場で働く人のレクリエーションとして1920年代に始まった茨城発祥のスポーツ
軟式テニスに似ているが、ラケットの代わりに板を使う。老若男女が楽しめるライトスポーツとしていま激アツなのだ!
パンポンラケット(木製)
軟式テニスボール
パコッ
五月、どこに行ってたんじゃ!?また資料を頼みたいんじゃが…
ドドドド
!?
資料がなんだって?
ギロ。
…いえ
プルプル
自分でやります…

【答え55】 B.弟　一般的には弟分を意味する「舎弟」がなまったものだが、茨城の場合は実の弟に使用するので勘違いのないように。　使用例:おらぢのしゃでのごどよろしく(うちの弟のことよろしく)

茨城県 鉾田市※9
ブロロロ〜
ハンドルが… お、重い…
ゼイタク言わないの。タダで貸してくれたんだから
第15話 カミナリも驚愕!? 鉾田のメロンは超うまい!
姫さま、こんなんでよければ いくらでも使ってくだせえ
うん ありがと
トヨタ・パブリカ 空冷 800cc 1961年〜
茨城はメロンの生産量が日本一なんだけど じつはその実態をよく知らないからだ
メロンの収穫量(平成30年度)
4
3
2
1
(万t)
茨城 熊本 北海道 山形 青森
さすが瀧夜叉姫の末裔…
マニュアル車だけど…
僕たちはあの高級フルーツメロンの取材に来ている
昆《こん》さんは「イバラキング」を食べたことあります?
※第13話参照
あんなことを言ったけど僕だってしっかり味わったことがなかったりする
メロンってけっこういろんなところでつくられてるのよね〜
①常総市 ②坂東市 ③笠間市 ④鉾田市 ⑤八千代町 ⑥茨城町 ⑦神栖市
⑧小美玉市 ⑨鹿嶋市 ⑩牛久市 ⑪行方市 ⑫筑西市 ⑬下妻市
中でも生産量が多いのは鉾田市だ
メロンのおもな生産地
へ〜
お、ビニールハウス!
そろそろかな?

【問題56】 茨城弁の「しんねっぷり」とは? A. 知らんぷり B. でっぷり C. 寝たふり

JA茨城旭村　直売店
「サングリーン旭」
サングリーン旭
※「旭村」は鉾田市の旧名
JA茨城旭村特産物直売所
わい
わい
サングリーン
へぇ～、壮観ですね
甘い香りがする～
アンデスメロン…※10
サングリーン旭
メロン
アンデス極2L
茨城県鉾田市
¥1,400
アンデスってことは原産は南米かな？
あれ～バカなこと言ってるよ～
「安心です」の略でよ～
あんしんです
アンデス
鉾田の人なら誰でも知ってっぺよ
ここのメロンは最高に甘《あめ》ぇがらみんな親戚や知りあいに送りまぐんだよ
ケケケ
へぇ、じゃあ僕も買ってみようかな…
1400円か…

【答え56】 A.知らんぷり　　茨城では「知らない」を「知んね」といい、「ふり」とくっつけて「しんねっぷり」となる。　使用例：いづまでもしんねっぷりしてんなよ（いつまでも知らんぷりしてるなよ）

ぐいっ
す〜ぐ食っちゃダメだかんな
ボゾッ
!
1週間はそのままかっぽっといてケヅんとこ押してやっこくなったら冷蔵庫で2時間冷やして食べろ
ビッ
したら最高にうめぇ!
いや…どうも
…こっちはクインシーメロンか
クラウンメロンはないのかな?
「クラウン」は静岡の袋井とかでつくられてるメロンのブランド名だっぺな
「アールス」って品種だがここいらじゃ秋のメロンだな
えっ? 品種とブランドって違うの!?
うう…
頭が痛くなってきた
フッフッフ…
ザッ
パカッ
これが代表的な品種よ
なんで昆さんがここに!?
【ネット系】
網目アリ
—青肉—
アールスフェボリットなど
（マスクメロン）
アンデス
イバラキング
オトメ
ユウカ
タカミ
—赤肉—
夕張
ルピア
クインシー
網目ナシ
【ノーネット系】
プリンス
ハネデュー
ホームラン
VAIO

【問題57】　茨城で「じでんしゃ」はどんな乗り物のこと?　A. 自転車　B. 電車　C. 電動自動車

あんたにやり込められたからね
復讐…じゃなくて勉強にきたのよ
あら、意外と素直じゃない
フンッ
これでもコンサルタントの端くれですからね
スッ
情報収集が大事だってこと、改めて気が付いたの
ダイゴ《あなた》のおかげよ
それじゃあ私は次のアポがあるから
いやどうも…
ドキンッ
フォレストパーク「メロンの森」
メロンの森…？メロンって木でしたっけ？
ロンの森
やぁ
「食べ比べ」を予約してくれた平野さんね
「メロンの森」社長 白井 透
今日は4種類用意できるよ。ちょっと待ってね

【答え57】 A. 自転車　茨城ではか行とた行が濁音化される傾向にあり、知らず知らずのうちに自転車を「じでんしゃ」と発音してしまっていることが多い。

ん～濃厚ね
駅のスタンドで飲むメロンジュースとは別次元だね
第1回「メロメロク～イズ」!!
なんスか!? 急に…
待ってる間にお勉強よ
第1問！
マスクメロンの「マスク」って何のこと？
え、そういう種類でしょ？
ん～、網目がマスクをしているみたいだから？
マスクメロンの「マスク」って何のこと？
ブッブー！
「ムスク」みたいにいいにおいがするからでした～！
コレね
【ムスク】香料の一種。
第2問！メロンづくりに欠かせない昆虫といえば？
カブトムシ！
ミツバチ！
ダイゴ正解ッ！
み～つけたっ♡
ウフッ

【問題58】「じゃんぼ」「じゃーぼ」「じゃんぽん」これらの意味は?

それでは3問目！
ドンッ
メロンの食べごろは？
あっ！
さっきのお婆さんが1週間って…
正解ッ!!
ちょっとまった！
スーパーとかではそうかもしれん…
お待たせしました
だがうちのメロンは完熟…！
ゆえに「今」が一番うめぇ!!
カッカッカッ
社長!?
赤いのが「ルピア」で、真ん中だけほのかに赤いのがメロンの森オリジナル品種の「ひたち姫」
緑のが「優妃《ゆうき》」と茨城県オリジナルの「イバラキング」
全部完熟です
茨城のメロンは収穫量で日本一だべ!?
それはそれで誇らしいけど誰にもに負けねぇおいしいメロンを追求したら"完熟"に行きついたんだわ

【答え58】 お葬式　　お葬式のときに鐘や太鼓をジャンとかボンとか鳴らすことからきているといわれ、地域によって呼び方にはさまざまなバリエーションがある。　使用例：じゃんぼできちった（お葬式になっちゃった）

完熟ってことは、柿がポトッと落ちるような状態でしょ？
リスクも高いんじゃ…
そう。そこまでするには土から作り直さないといけないし途中で割れないようにしっかり温度管理をしないといけない…
手間暇はかかるけどどこにも負けないくらいおいしいものを作ってるって自負してるけどな
で、オリジナルの品種も作ったんですね
ギッ
ああ、「ひたち姫」な
「とにかくおいしい品種」ということで種苗メーカーと話し合って3年がかりで軌道に乗せたんだ
まぁ食べてみてよ
パクッ
おいしい！甘い！ってかこれ、私の知ってるメロンの味じゃない！
ひたち姫
ん〜モチモチしてて濃厚！食べたところからジュースがしみだしてる！
完熟って、すごいなぁ…
じゅわ〜
ルピア
モグモグ
あ、全然青臭くない！さわやかな甘さだぁ…
クラウンメロンよりおいしいかも！
イバラキング
これならこの値段も納得ですね！
うん優妃もうまい
ああ〜〜
パアアア
おいしいメロンを半分に割って食べるなんて贅沢〜

【問題59】 茨城弁「すっかい」の意味は？ A.爽快 B.素早い C.酸っぱい

いまメロンといえば春は「夕張」秋は「クラウン」だけど…
「メロンといえばやっぱり茨城だな」っていわれる日がきっと来る！
そのために作り方とか品種を毎日工夫しているんだ
だってそのほうが楽しいじゃない
ニカッ
……

【答え59】 C. 酸っぱい　「すっかい」は酸っぱいという意味の茨城弁で「すっけー」ともいう。　使用例：このこうご、すっかぐなってっと（このおしんこ、酸っぱくなっているよ）

パクッ
ジュッ
ジュッ
ジュッ
!?
フン…
じゅる…
たしかにおいしいじゃない!
ガタガタ
あ、あなたは…
3500円のメロンを「半額にして」ってダダをこねていたお客さん…
だって茨城のスーパーじゃメロンは1000円以下がデフォルトなのよ!
くねっ
じゃ、2000円でどう?
…いしけー客には帰ってもらーべ
じゃ、2500円で!
だめ? 2800円!
3000円なら!?
ズル
ズル
ちょっと、ダイゴ!
この石アタマになんか言ってよぉ!
…
ちょっとは反省したかと思ったら…
全然っスね

ごじゃっぺコラム

ここが茨城の中心だっぺ！②

kasama

第4位

位置的な中心なら「笠間市」

常磐道と北関東道が交差し、ＪＲ常磐線と水戸線が交わる友部駅がある県内最大の交通の要衝――それが笠間市だ。

位置的にも筑波山より笠間市のほうがパッと見で真ん中に見えるし、実際に茨城県の「重心（質量中心）」を割り出したら笠間市になるそうだ。

第3位

笠間市
桜川市
石岡市
筑波山
つくば市
土浦市
かすみがうら市

茨城のシンボルといえば「筑波山」

精神的な中心といえる筑波山。つくば市、桜川市、石岡市にまたがり、位置的にも茨城の真ん中あたりに位置する。

古くは万葉集に詠まれ、「西の富士、東の筑波」ともいわれてきた山で、県内の学校の校歌に登場するスポットとしてもダントツのナンバーワン。筑波山の山の形で自分のいる位置や方角を知るとか、自分の家から見える筑波山が正面だと言い張るとか（笑）、茨城県民は筑波山とともに暮らしているといっても過言ではない。

続きは「ここが茨城の中心だっぺ③」（P200）を見てくろ。

6月のとある土曜日――
チュン チュン
私の名前は昆沙流《こんさる》38歳、独身。
バサッ
東京の一流コンサルティング会社に勤めてる
が、なぜか水戸出張所に配置転換されちゃったの
ぬりっ
第16話 茨城のB級グルメは想像の斜め上を行く！
スチャ
それで居酒屋でクダを巻いていたら変な爺さんに声を掛けられてダイゴたちに出会った
そう… 私は超一流のコンサルタント!!
バサ バサ
チッ
私はこの逆境からはい上がってやる！
あの子たちを利用してね…
カンッ カンッ
数日前ダイゴが私のアパートに引っ越してきた
たまたまだろうけどなんだか運命を感じちゃうわ♡
！
あれはダイゴの仲間…！
荷物は片付いた？
たいした量じゃないんで
一体どこへ…？

【問題60】　「たごまる」の意味で間違っているのは？　A: こんがらがる　B: ぐちゃぐちゃになる　C: 固まる

駄兵小学校運動会
プーレク
運動会…よね?
でも私が知ってるのと
何かが違う…!
!
へえ、けっこう
盛大ですね
ザッ
なんで小学校の
運動会に
屋台が出てるの!?
またアンタ!?
なんでって…
それが運動会
だからよ!
や、やっぱり茨城県人は
イカれてる!
公立学校の運動会に
屋台※11だなんて!!

【答え60】 C: 固まる 「たごまる」「たぐまる」は靴ひもがこんがらがったり、シャツの袖がぐちゃぐちゃになったりした状態を指す言葉。 使用例：釣り糸たごまってっぺな（釣り糸がこんがらがっているよ）

ボク、焼きそば食べようかな
僕は大判焼き！
チッチッチッ
屋台グルメといったらなんたって「煮いか」※12よ！
何…
コレ…？
ん？ イカを赤く煮たものだけど？ もしかして知らないの？
知るわけないじゃない！ そんなチブル星人みたいな気持ち悪いもの!!
プイッ
やっぱり茨城県人はイカれてる！
まろやかな塩味で癖になりますよ。ホントは家で食べるものだけど…
はむっ
！
ぐ…たしかに見た目の悪さと裏腹においしい…
これは茨城県人を象徴する食べ物なのかも…
とっつき悪いけど悪人じゃない的な…
じゃっ
僕たちは遊びに行くんで

【問題61】 茨城弁の「だいじ」の意味は？ A: 大事 B: 大丈夫 C: 大臣

…って、なんで
アンタが
乗ってるのよ！
せっかく
休日ドライブを
楽しもうと
思ったのに!!
シーッ
細かいこと
言わないの
せっかく同じ
アパートに越して
きたんだから
仲良くしましょ、
ね？
ビクッ
えっ？
そうなの？
着きました
キッ
アクアワールド※13
（茨城県大洗水族館）。
茨城県が誇る観光スポット
TOP5（だっぺ帝国調べ）の一角。
毎年コンスタントに
100万人以上を集めており
2019年は全国の水族館の
なかで堂々の7位！
スイー
アクアワールドといえば
サメですよね
カシャッ
水族館の
キャラクターが
そもそも
サメなんスね
ブルル
ピルル

【答え61】 B: 大丈夫　　大丈夫という意味で使われる「だいじ」は、大丈夫→「だいじぶ」→「だいじ」のように変化したか、「たいしたことない」という意味の「大事ない」が省略されたものと考えられる。

いま54種類
飼育してるんですって
見たことない
サメもたくさんいるわ
サメ好きって、意外と多いから
いいところを狙ってますよね!
だから
シャチが売りの
鴨川シーワールド
にも勝ってるのよ
!!
「サメドッグ」だって!
ヨシキリザメ肉
100%使用!!
ブンブンブン
あ、
「鮫カレー」も
ある!
サメのハラミ
100%だぁ!
coffee shop
Mermaid Gallery
マーメイドギャラリー
フードコートには
寿司店や海鮮丼の
店もあるよ
ヒィィィ
ママ〜
サメさんだ〜
かわいいねぇ〜
まさに狂気!
かわいいサメや魚を
見たあとでそれを
食べちゃうなんて
水族館の魚なわけないじゃない…
ハハ…
さ、次
行くわよ
この
「シャークナゲット」、
いけますね
ちょうだい
今日は
B級グルメ
ばっかり
食べて
ますね
そーいや
そうねぇ…
じゃ、
この路線を
突っ走っちゃ
おっか!
もぐ
もぐ

【問題62】 語尾に使用される「だしけ」「だちけ」「だつけ」の意味は? A: だそうだ B: だろう C: だよね

味の店
たかはし
華《はな》さんの店だ！
って、何？
「みつだんご」※14の店ですよ。五十鈴華《いすずはな》さんがキャラクターになってる
みつだんご？いすず？
何を言ってるんだ…
大洗名物といえば一般的にはビーチにアクアワールド、そして海鮮市場だけど、B級グルメも気合が入っているのよ。「みつだんご」もそのひとつ
あっ!!
おばさん8個ちょうだい
はいよ
480円ね
で、「いすずはな」って？
ガルパンのキャラクターっスよ。曲がり松商店街を中心に大洗中のいろんな店舗がキャラクターを看板娘にしてるんス。で、この店の看板娘が華さん。
それで店内のいたるところにキャラクターが…
メモ
メモ

【答え62】 A: だそうだ　文法でいうと「伝聞」の意味になるが、この言葉に限らず、同じ茨城でも人や地域によって微妙になまり方が異なってくる。

私は20個ね
10個ちょうだい
普通のみたらし団子かと思ったら全然違うんですね
みたらし団子?
ぬっ
あんな腹に重てぇモンと一緒にすんな～
なんか、あっさりしてる
米じゃなくて小麦粉を使ってるからな
いくら食べてももたれなくておやつにゃちょうどいいぞ
じゃあな
たしかにいくらでも食べられそうっス
うまかっぺ!
大洗は海産物だけじゃねぇぞ!

【問題63】 「だっぺ」と同じ意味でとくに古河市で多く使用されるのは? A: だべ B: だんべ C: だへ

軽食喫茶
ブロンズ
割烹
かま家
すごいですねぇ！いまだに猫も杓子もガルパンだ
たしかに見事な町おこし戦略ね
けど、大洗も人口の減少には歯止めがかからないじゃない
ぐぬぬ…
あら、県内の44市町村のうち人口が増えてるのは5つだけだからしょうがないでしょ
…いやしょうがなくない気が…
たらし焼き武田
あ、ここ寄っていきましょ
たらし焼きって、なんですか？
まあ見てなさいって！
おねーさん、たらし焼きの大ね

【答え63】 B: だんべ　「だんべ」は古河市周辺でよく使われる言葉。「だべ」は茨城弁ではあまり使われず、神奈川が有名。「だへ」は県南・県西地区の一部で使われる。

お待ち ど～
コトッ
よくかき混ぜてから たらしてね
まぜ まぜ
なんだかゆるい お好み焼き みたいですね
「もんじゃ」と似てる けど土手は つくらないんだよ
トロッ
こうやって、少しずつ たらしながら食べるんだ
このヘラで すく…
…えないッ！
ポロッ
ハハハ、 こうして 押さえつけて 焼くんだ
ジュ～
パクッ
ホントに 素朴な味だぁ
昔は小学生たちが小銭を握り しめてきたもんだけどねぇ…
いっか～
わたしゃ週1回は ここのたらしを 食べなきゃ生き らんねーのさ
…こんな かんじ でね（笑）

大洗って、新しいこともやってるけど 独特の文化が残っててていいなぁ
そこよ！
「再生プロジェクト」では地元らしさ、茨城らしさを大事にしつつ茨城の素晴らしさをアピールするの！
はふはふ
それっていままでとおんなじじゃないっスか
なんか、世間をあっと言わせたいっスよ！
ん？たとえば…
革命とか？
!!
そ、それよ…
ん？
？

茨城王《イバラキング》の「だっぺディア」vol.4

■茨城が日本の食卓を支えてる（P142 ※1）

知名度こそけっして高くない茨城の農水産物だが、東京都中央卸売市場での青果物取り扱い高は17年連続トップ（2020年）である。茨城の食材は知らず知らずのうちにみなさんの食卓に並んでおり、とくに首都圏においては茨城の食材が使われない日はないほど。

つまり「東京人の身体は茨城でできている」のである！ 東京人が気づいていないだけで、茨城の東京侵攻作戦はすでに始まっているのだ。

め、メロンの生産量が日本一だぞ！ 栗にレタス、白菜、れんこん、ピーマン、水菜なんかも!!
茨城が日本の食卓を支えてるんだぜ！

■ものすごい鯖（P143 ※2）

茨城県神栖市の越田商店が作る「鯖の干物」で、約半世紀もの間継ぎ足してきた特製の「つけ汁」と伝統の技で作られた一品は、塩辛さや生臭さが少ないのが特徴。料理店や食通のあいだで評判が高い。ちなみに現在の商品名は「サバ文化干し」である。なんか普通の名前になっちゃったような気もするが（汗）、それだけ商品力に自信がある証拠だっぺ。

■いばらきフィルムコミッション（P144 ※3）

茨城は知られざるロケのメッカである。海・山などの自然、寺社・古民家・木造建築などの歴史を感じさせる建物、ビルや広場などの現代的なスポットまで、撮影にうってつけの景色は茨城でだいたい揃ってしまう。しかも、都心から日帰りで行き来できる好立地。さらに、県と市町村のフィルムコミッションが手厚くサポートしてくれるのだから、ロケ地としてこれ以上の環境はないといえよう。

『白い巨塔』や『医龍』の病院として使われた「茨城県庁」、仮面ライダーや戦隊ヒーローものにたびたび登場する「つくばセンター広場」「水戸芸術館」、時代劇に使われる「坂野家住宅」「ワープステーション江戸」（「日光江戸村」や「太秦映画村」みたいな映画撮影施設）など、定番スポットだけでも枚挙にいとまがない。

『カメラを止めるな！』や『下妻物語』、『翔んで埼玉』、『永遠の0』…
常陸風土記の丘
旧芦山浄水場
たくさんの映画がフィルムコミッションを通じて茨城で撮影されているのよ
貴族の森
旧筑波海軍航空隊司令部庁舎

気づかないだけでたくさんの映像に映り込んでいる茨城。「茨城サブリミナル作戦」は静かに進行中である。

■『カメラを止めるな！』（P145 ※4）

2017年に公開された話題の低予算映画『カメラを止めるな！』（通称：カメ止め）。国内外で数々の賞を受賞し、社会現象になったのは記憶に新しい。この『カメ止め』のロケに使われたのが、水戸市の「旧芦山浄水場」だ。その廃墟っぷりの素晴らしさから、「カメ止め」や欅坂46のMVのほか、「相棒」や「仮面ライダーゴースト」など、名だたる作品のロケに使われており、いまや「日本一有名な廃墟」として、その名をとどろかせている。

しかしながら、あまりに廃墟すぎて危険なので、立ち入りは禁止である（笑）。

■G1タワー（P148 ※5）

ひたちなか市にある高さ213・5mのエレベーター研究塔。県内一の建物であると同時に、建設当時（2010年4月）は世界一高いエレベーター研究塔だった。分速1260mでギネス認定された世界最速エレベーター（中国・広州市「広州周大福金融中心」）も、G1タワーで開発と試験を行ったという。

ちなみに2020年1月、日立グループは広州市に地上273・8m、地下15mのエレベーター試験塔「H1 TOWER」を完成させている。こちらは世界トップクラスの高さだそうだ。

ついでに言っておくと、日本初のエレベーターもじつは茨城にあるんだぞ！ 1842年に偕楽園の好文亭に設置されたもので、こちらは人ではなく食事を運ぶ手動のつるべ式エレベーターだが、手動とはいえ1903年に欧米で生まれた近代エレベーターに先んじていたともいえよう。まあ、いずれにせよ茨城はエレベーターに深いかかわりがある県なのだ。

■大串貝塚ふれあい公園（P149 ※6）

茨城が、いや、日本が世界に誇る巨人といえば「ダイダラボウ」。「ダイダラボッチ」や「ダイランボウ」などとも呼ばれ、全国各地に伝説が残っている。そのダイダラボウが鎮座するのが大串貝塚ふれあい公園。白さがまぶしく、どこか西洋彫刻風なダイダラボウは、高さ15mの展望台にもなっており、手のひらのところから周りを見渡すことができるのだ。

「大串貝塚」は文献が残る世界最古の貝塚で、巨人（ダイダラボウ）が大ハマグリを食べて貝殻が積もった場所が「大櫛之岡（＝大串貝塚）」であると『常陸国風土記』にちゃんと書かれている。

ただ、大ハマグリとはいえ、山をも動かすダイダラボウからしたら相当小さかったはず。ダイダラボウさん、手先がかな〜り器用なんだっぺな（苦笑）。

■日本一の獅子頭／日本一の木造犬（P153 ※7）

大仏や埴輪を大きくしたい気持ちはわからなくないが、なぜか獅子舞の頭＝「獅子頭」でも日本一を目指してしまう……これぞ、エキゾチック茨城！ こちらは石岡市の「常陸風土記の丘」にある。

ところで、なぜ獅子頭なのかというと、関東三大祭のひとつ「石岡のおまつり」で練り歩く「幌獅子（ほろじし）」からきているのだ。え？「関東三大祭」って何かって？ 佐原の大祭（千葉）、川越まつり（埼玉）、そして石岡のおまつり（茨城）って決まってるじゃないか！「石岡のおまつり」の正式名称は「常陸國總社宮例大祭」で、9月15日前

でっかいものといえばほかにも日本一の獅子頭や日本一の木造犬があるわよ
獅子頭って、石岡でしたっけ？ 木造犬は？

後の期間中は約40万人の見物客が殺到するんだぞ！ 一回見ておいて損はなかっぺ〜。

そしてワンちゃん好きなら一度は訪れたい「つくばわんわんランド」。ここにいる（ある）のが、日本一の「木造犬」。「世界最大級」ともいわれている。ちなみに木造犬の名前はモックンである。木造だからね。フッ（笑）。

■パンポン（P154 ※8）

日立の工場で生まれたスポーツで、軟式テニスのボールを木の板で打ち合う。昔は昼休みにキャッチボールをする者が多かったが、ガラスを割ってし

まうことがあって禁止されてしまった。その代わりとして、地面に線を引いてゴムボールを手で打ち合ったのがパンポンの起源である。日立市を中心にいまでも親しまれており、茨城国体のデモンストレーションスポーツになったのは記憶に新しい。

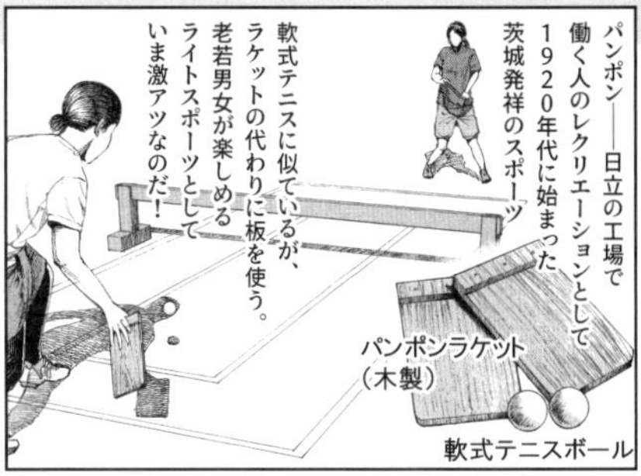
パンポン――日立の工場で働く人のレクリエーションとして1920年代に始まった茨城発祥のスポーツ
軟式テニスに似ているが、ラケットの代わりに板を使う。老若男女が楽しめるライトスポーツとしていま激アツなのだ！
パンポンラケット（木製）
軟式テニスボール

ちなみに、私は一度テレビ番組の企画でパンポン対決をしたが、サーブが一本も入らずに惨敗した苦い過去を持つ（苦笑）。

■**鉾田市**（P155 ※9）

鉾田市といえば、タレントの「磯山さやか」、お笑いコンビ「カミナリ」の出身地……くらいにしか思っていない人が多いかもしれないが、全国屈指の農業王国である茨城を象徴するまちなんだかんね。

まず、メロンにサツマイモ。これらは鉾田を代表する二大農産物で、どちらも生産額は日本一だ！さらにはごぼうや京野菜だった水菜も日本一だし、いちご、トマト、にんじん、大根、ほうれん草の生産額も県内一。まさに、鉾田といえば農業、農業といえば鉾田なのだ。

市内にはメロン御殿が立ち並び、「メロンロード」なる道路まで通っているんだぞ。こらっ、ただの農道って言うな！（汗）

■**アンデスメロン**（P156 ※10）

外国産っぽい名前を持つアンデスメロン。じつは日本の種苗メーカー「サカタのタネ」が1977年に作り出した品種で、「生産者が作って安心」「流通業者が売って安心」「消費者が買って安心」ということで、「安心ですメロン」→「アンデスメロン」

と名付けられた。コテコテの日本語を洋モノに見せるネーミングセンス、しびれっちゃーなぁ〜。

■運動会に屋台（P166 ※11）

「運動会の一番の楽しみは、昼休みに屋台でかき氷を買ってもらうことでした」——この一文を読んでまったく違和感がない、いや、むしろ共感しかないというあなたは、根っからの茨城県民だ！

いやぁ、東京の人にはびっくりされっちゃーんだよねぇ。「なんで学校行事に屋台が出てるの？」って。まあ、気持ちはわかる（笑）。でも、「運動会」のとらえ方が、県民と非県民ですこ〜し違うんだよね〜。茨城以外の人にとっては、運動会はあくまで学校行事。だけど県民にとっては、地域の一大イベントだったのだ。だから家族みんなで応援に駆けつけるだけでなく、翌年小学校に入る幼児や老人会も招待したりしている。そこに屋台が出ているのはごくあたりめーだっぺよ。

ただ、このところ屋台の数は減少傾向にあり、また校庭ではなく校門の外に場所を移したところもあるけど、こういうユルい地元文化を残せる、懐の深い茨城であってほしいどなぁ。

■煮いか（P167 ※12）

「煮いか」はお祭りや初詣などの屋台で提供される「オレンジ色」の食べ物で、ほのかな塩味がクセになる茨城のご当地グルメ。主に茨城県と栃木県で売られており、愛知県や静岡県では「煮するめ」という名前になったりする。

茨城の屋台では必ずといっていいほど売られている定番中の定番なので、他県にはないことを知らない茨城県民がいまだに多い。

屋台グルメと
いったらなんたって
「煮いか」よ！

■アクアワールド（P168 ※13）

サメの種類日本一を誇る大型水族館で、茨城の観光名所の代名詞的な存在。また、マンボウにも力を入れており、270tのマンボウ専用水槽は日本最大である。

魚の展示以外でおススメなのはイルカ&アシカのショー。ある意味サメより危険である。早めに会場に入って、なるべく前方の席で見てほしいのだが、これがちょっと濡れるどころの騒ぎではなく、思いっきり「ずぶ濡れ」になるのだ（笑）。ずぶ濡れ防止用のレジャーシートが販売されているから、これを買えば少しは気休めになるかもしれないが、とにかく濡れたかったら大洗は裏切らない！

アクアワールドといえばサメですよね
水族館のキャラクターがそもそもサメなんスね
ピルル
ブルル

なお、茨城県民にとってはここが水族館の基準になっているため、他県のそこそこ名の知れた水族館を見て物足りなさを感じてしまうのは「茨城あるある」のひとつと言っていいだろう。

■みつだんご（P170 ※14）

大洗とおとなりの那珂湊（ひたちなか市）に昔から伝わるご当地スイーツ。名前から「みたらしだんご」を連想するかもしれないが、形が真ん丸ではなく平べったい丸型で、食感もモチモチというよりフワフワである。

だんごには「みつ」が絡まり、きなこがまぶしてあって、軽い食感なのでついついたくさん食べてしまう。みつだんごだけに「みっつ」といわず、たくさんよばれてくれっけ（笑）。

普通のみたらし団子かと思ったら全然違うんですね

part 5

世の中をひっくり返して茨城がトップに立つぞ!?

苦しんでいる民衆のために立ち上がった天狗党。
多くの同志が志半ばに倒れてしまうが
その不屈の魂は維新につながっていく。
魅力度最下位を脱出したとはいえ、
まだまだ茨城をバカにしているヤツは少なくない。
ふん、待っていなさい。
いまに、目にもの見せてやっから!

ザッ
此峠は常に旅人の通行なき所にて…
ハァ
ハァ
只一線の樵径《しょうけい》あるのみ…
※ホントに置いてある
第17話 筑波山といえば やっぱりコレでしょ!!
あ!?
ゼェ〜
ゼェ〜
ハァ
ハァ
何それ!
あっつい
ハァ
ハァ
「天狗党の乱」(※1)を描いた『波山《はざん》始末《しまつ》』の一節です
すんごい山だから思い出しちゃって
ああ、ご老公にいわれて調べてるんだっけ?
何、革命について調べたい? なら水戸学と天狗党からじゃな
あのクソジジイのことだから口から出まかせに決まってるわ
ハハ…
この坂、絶対に斜度50度くらいありますよ! ボクもう降参っス!
何言ってんのよ! ほら、もう少しだから頑張りなさい

【問題64】 茨城弁の「ちかたび」を標準語でいうと?

なんなら
ここで
休む？
ボロ…
…遠慮します
…
メ゛ェ〜
あっ
ヤギ
あのとき
「冗談で『じゃあ革命でもする？』」
って言ったんだけど…
！
自分の言葉にムズムズして
ご老公の助言もあって
天狗党について調べることにした。
取材で筑波山に行くなら
その前に「日本一客が来ない
動物園」※2に行ってみない？
ってことで
ココに来たって
ワケだ。
東筑波ユートピア
あー、
やっと着いた！
ここっスか？
いのししのくに
もともとは個人経営だった
ミニ動物園「東筑波ユートピア」を
テコ入れするために
クラウドファンディングで
『いのししのくに』を整備。
いのししのくに

【答え64】 地下足袋（じかたび）　地下足袋と書くので、茨城で使われる「ちかたび」が標準語のように感じられるが、一般的には「じかたび」と発音されている。

しかし園長が高齢だったことなどから２０１９年に猿回しなどを生業とする「戦豆」が事業を継承した。
あ、子どもがいる！かわいいい!!
おもしろかったケド…
まだまだ再建途上って感じですね
もう山の取材はこりごりっス…
冷たいジュースでも飲む？
バッ
マジっスか!? ボク、炭酸!!
わかりやすいヤツ…
え…？
商品が…

【問題65】　茨城弁の「ちくらっぽ」の意味は？　A: エリア　B: 竹　C: うそ

無いッ!?
1本50円〜
なるほど、何が出てくるか わからないってわけね…
上の列は、たぶんペット500ml
真ん中の列は、炭酸飲料多め
下の列は、訳あり品など
間違ってても、返品は出来ません。
※この自販機は実在します
私は「メロンソーダ」だった
僕は「シークヮーサーソーダ」
ボクは…コーヒーっス(泣)
ボク、昔からくじ運悪いんス…「ガリガリ君」も外ればっかり…
一度お祓いでもしてもらったら?
あんな埼玉の企業に儲けさせることないじゃない
そして…
着きましたよ
…あれ?
「筑波山神社」はロープウェイじゃなくてケーブルカーのほうでした
間違えた…
ロープウェイは女体山 ケーブルカーは男体山へと繋がっている
筑波山
筑波山頂駅
女体山駅
男体山
女体山
筑波山ケーブルカー
筑波山ロープウェイ
筑波山神社
つつじヶ丘駅
宮脇駅

【答え65】 C: うそ　「ちくらっぽ」は県西地区でよく使われる茨城弁で、他に「ちく」や「ちぐ」ともいわれる。県央・県北ではうそつきを「ちぐぬぎ」というが、逆に県西では使われない。

ちょっと待って
あれ、なんスか？
なんか、でっかいガマガエル（※3）がいるんスけど…
大食堂
「ガマ洞窟」ってのも気になるぅ
四六のガマ
ガマ洞窟
からくり迷路
筑波山といえばガマガエルでしょ
ガマガエルのエキスが入った膏薬《こうやく》で一世を風靡《ふうび》したんだよ
行ったことないけど…
じゃ、ちょっと行ってみましょ
!!
ここは…？
ヒュオオオオオオオ
キィ…
廃墟ね…

【問題66】　「つーつーなカレー」とはどんなカレーか?　A: 辛い　B: 水っぽい　C: 酸っぱい

いや、これは…
みんな明るく、希望に燃えていた昭和の記憶をいまに伝える「遺跡」なのかも…
いわれてみればガマ大明神もどこか遠くを見るような目をしてるわ…
えぇ～!? そんなタイソウなもんスか?
「ガマ洞窟」3人で1500円ね
どうも
ちょっと、ダイゴ、先に行ってよ!
ガマ からくり 迷路
大食堂
ドンッ
えっ?
ジリ…
暗くて何も見えない…!
ソロ～
ドッ
ギャー
キャッ
なんかいる!?
でっかいガマ!?
なんか血出てるしッ!!
スゴイ世界観っスね…

【答え66】 B: 水っぽい　水っぽくて薄いカレーを「つーつー」と表現する。水っぽい鼻水が垂れるときは「つー」っと垂れるというので、その応用系ともいえる。

ふう、意外と長かった…
食堂・喫茶
お二階へどうぞ!!
楽しんでくれたかい?
たばこ
これ、おばさんがつくったんですか?
コワかった…
まさかぁ!
亡くなった旦那がつくったんだよ。この小さい遊園地も
あの洞窟はね、浅草の花屋敷遊園地を手掛けた人がやってくれたらしいんだよ
旦那はアイデアマンだったから、おもしろいと思ったものを次々につくっちゃう人だったんだ。もうボロボロだけどさ(笑)
なんか…
ずっと残してほしいなぁ
いわれなくたって、修理するお金がないからね
いつまでもこのままだよ
【問題67】「ちゅちゅーら」を漢字で書くと?

あ、「願いガマ」だって
ハチくん、厄を落としてもらいなよ
この「にぎり石」をなでると幸せになれるって。
さわっ
ここから出土
「ガリガリ君」当たるかもよ(笑)
あの〜
ん？
…なんかバカにしてません？
ボクのこと
ガマの化け物！
ダッ
へへ…
筑波山神社は
次回ッ!!

【答え67】 土浦　　なまりが強くなるにつれて「つちゅーら」「ちゅちゅーら」「ちちゅーら」となっていく。なお、「つぢうら」という言い方は地元土浦ではなく、北部のなまり方である。

何だガマの化物じゃなくてハチくんだったのか…
ふぅ…
って…
なんでロープウェイに乗ってるんですか!?
TSUKUBA
第18話 ま、まさか…茨城が天下を取るって!?
たまにはちょっと息抜きしましょ
だって、楽しそうじゃない!
さすが天下の筑波山ね
いい景色!
ところで天狗党について何かわかった?
それを説明するには、水戸徳川家の話から始めないといけないんですが…
え～と…
え～っ!? 日本史ニガテなんスよね
いいから早くして
ぐにっ

【問題68】 茨城弁で「てーら」とは? A. 服屋 B. 人たち C. 寺院

徳川御三家のひとつ、水戸徳川家の第2代目といえば…
黄門さまでしょ？
ご名答
水戸黄門こと徳川光圀《みつくに》（※4）（家康の孫）ですが黄門さまの業績は？
日本で初めてラーメンを食べた！
…そ、それもあるけど…
悪者を懲《こ》らしめた！
それは、作り話。
『大日本史』を編纂《へんさん》したんだよ
日本の歴史を詳細に分析して日本のあるべき姿を明らかにしようとしたんだ
そして、ここから生まれたのが…
「水戸学」（※5）ね

【答え68】 B. 人たち　名詞のあとに付けて使い、「あすこんてーら」はあそこの人たち、「若いてーら」は若者たちという意味になる。ちなみに「てー」は単数形で「あすこんてー」はあそこの人である。

水戸学が発展したのは、第9代藩主の徳川斉昭《なりあき》(※6)の時代。
五月さん、斉昭のしたことって何かわかります?
藩の人々が楽しめる偕楽園《かいらくえん》を作ったり─
弘道館《こうどう》っていう学校を作ったりしたのよね
こうどうかんって柔道の?
それは講道館
「ドラえもん」や「コナン」の?
それは小学館
ッ
ってかおめぇ、わざとやってっぺ!
間もなく女体山駅に到着です
お出口は進行方向向かって…
女体山駅展望台
百名山でダントツの低さなのに筑波山が目立つのって、まわりに山がないからなんスね
おぉ〜

【問題69】 茨城弁で「でーご」とは何のこと? A.おでこ B.大工 C.大根

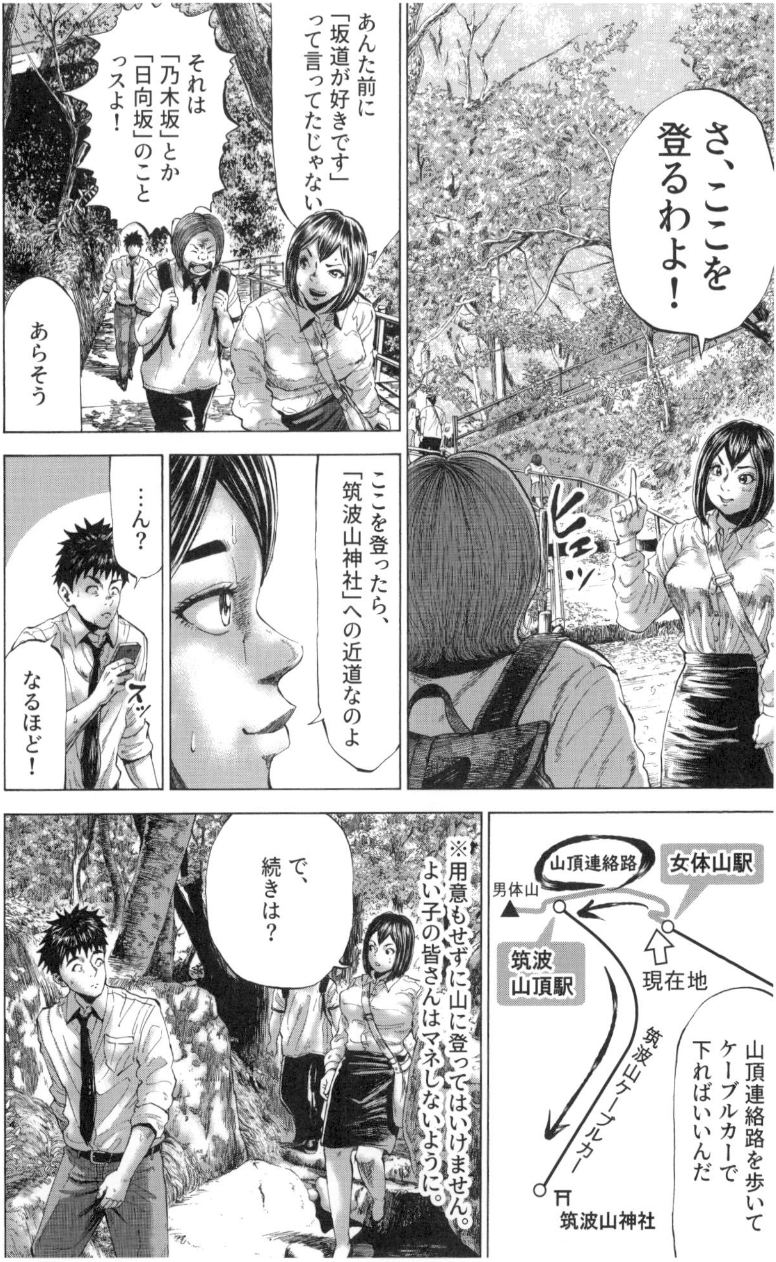
さ、ここを登るわよ！
あんた前に「坂道が好きです」って言ってたじゃない
それは「乃木坂」とか「日向坂」のことっスよ！
あらそう
ヒュッ
ここを登ったら、「筑波山神社」への近道なのよ
…ん？
スッ
なるほど！
山頂連絡路を歩いてケーブルカーで下ればいいんだ
女体山駅
山頂連絡路
男体山
筑波山頂駅
現在地
筑波山ケーブルカー
筑波山神社
で、続きは？
※用意もせずに山に登ってはいけません。よい子の皆さんはマネしないように。

【答え69】 C. 大根　　だいこん→でーごん→「でーご」となる。大工は「でーぐ」である。　使用例：でーごのおづよが一番んめえ（大根の味噌汁が一番うまい）

水戸学って日本はどうあるべきかを追求した学問っていったらいいのかなぁ…
天皇を中心とする尊王《そんのう》思想と外国勢力を遠ざけようとする攘夷《じょうい》思想が特徴ですね
あっ、「尊王攘夷」ならわかります。
ゴクゴク
幕府を倒して天皇中心の社会にして外国勢力を打ち払う、ってやつでしょ？
「天皇が中心」ってのは合ってるけど幕府を倒そうとはしていないんだ
えっ？
そうなんスか!?
水戸藩は徳川御三家のひとつだよ。幕府を倒そうとするわけないじゃん
藤田幽谷《ゆうこく》、藤田東湖《とうこ》（※7）、会沢正志斎《せいしさい》…
水戸学の中心を担った人はみんな「尊王敬幕」だったんだ
あ、そっか…
天皇を重んじることと幕府を敬うことは矛盾しないのね
そう…
…だけど、光圀はこう考えていたらしい

【問題70】 とうもろこしの呼び名で茨城で使われていないものは？ A.とうきび B.とうむぎ C.とうみぎ

「もし幕府と朝廷が対立したら朝廷につきなさい」(※8)って
それが水戸徳川家の家訓だったらしいんだ
あっ！やっと駅が見えた！
ちょうど出発時間みたいです…
ダッ
間に合った…
ハァ ハァ
で、天狗党はどうして生まれたの？
斉昭らは藩の改革を進めたんだけど、それが面白くない人たちは…
あいつら天狗になってやがる!!
ケッ
保守派の上級藩士たち
…ってことで天狗党と呼んだみたいです
そして、幕末の動乱の幕開けを告げる大事件が起きる…

【答え70】A.とうきび　「とうきび」は北海道で使われることが多い。なお、茨城では他に「とうきび」がなまったと思われる「とうぎみ」も使われる。

1853年——
ペリー来航
開国か攘夷か——
幕府は対応を迫られた
このときの主な勢力の思想はこうだった
朝廷(孝明《こうめい》天皇)—— 攘夷派
幕府(井伊直弼《なおすけ》)—— 開国派
水戸藩(改革派・天狗党)—— 攘夷派
その後、日米修好通商条約が大老・井伊直弼によって天皇に無断で締結されたんだ
これは日本に不利な不平等条約だった

【問題71】 茨城で「とぴたさん」といわれている人の本名は?

これに天皇が激怒し水戸藩に幕府を改革するよう指示したのが「戊午《ぼご》の密勅《みっちょく》」。
天皇に従うか幕府に従うか水戸藩のなかでも意見が分かれた
同じ頃、13代将軍・家定の跡継ぎ問題が勃発
水戸藩 第9代藩主 徳川斉昭
我が息子、慶喜《よしのぶ》がいい
やだ
江戸幕府 大老 井伊直弼
跡継ぎ問題に勝利した井伊直弼は戊午の密勅を幕府転覆の陰謀とみなし斉昭らを失脚させた《安政の大獄》※9
これを不服とする水戸脱藩藩士（天狗党）らが直弼を暗殺した《桜田門外の変》※9
安政の大獄とか桜田門外の変って茨城に関係してたんスね!!
その後も朝廷は幕府に攘夷を要求するも実行されることはなかった
これじゃ食っていけねェ…
一家離散だよ!!
オギャ〜
開国により安値の綿織物などが流入し、民の暮らしは困窮した
1863年、長州藩の失脚をきっかけに天狗党※10が尊王攘夷の先頭に立った
おぉ〜
リーダー・藤田小四郎らは幕府に攘夷を促すため挙兵する
その場所が…

【答え71】 飛田　茨城では「び」が「ぴ」になることがあり、飛田さんは「とぴたさん」と呼ばれることが多い。飛田は茨城に多い苗字で、「ひだ」ではなく「とびた」という読みがほとんどである。

筑波山
キキ…
着いたみたいです
まあ、すごくはしょったけど、こんな感じかなぁ
茨城県人が「理屈っぽい」のってきっと「大日本史」と「水戸学」のせいね！
「怒りっぽい」「骨っぽい」（水戸の3ぽい）も根は同じね
自分の意見が通らなかったらへそを曲げる、意見が通るまで主張し続ける、ってことだもん
でも一時期、水戸はある意味で日本最先端だったのも事実なんだ…
それはつまり…
茨城が天下を取る可能性だってあったということ！
アーハッハッハッ
ちゃんちゃらおかしいわ！
昆《こん》！
なんで…

ごじゃっぺコラム

ここが茨城の中心だっぺ！③

tsukuba

第

位

次世代の茨城の中心なら「つくば市」

成長性、先進性などのイメージ、都心へのアクセスの良さなどから、つくば市を挙げる声も多かった。博士号を持つ人の数が日本一で、JAXA筑波宇宙センターからロボットスーツでおなじみのサイバーダインスタジオまで、さまざまな研究機関が集中する「日本最大のサイエンスシティ」だ。

これまでのどこか田舎くさくて垢抜けない茨城の印象を過去のものとし、イメージを一新するなら「つくばブランド」は最強に違いない。だって、茨城県民はつくばにいいイメージしか持ってないから。

mito

第

位

名実ともに中心といえる「水戸市」

かつては御三家「水戸徳川家」の本拠地で、水戸黄門「徳川光圀」は、県民のあいだでいまでも圧倒的な知名度を誇る。水戸納豆や三名園のひとつ「偕楽園」などは全国ブランドだしね。まあ、順当な結果といえるだろう。

ただし、水戸市への人口集中率はたった9.4％（2019年）で、全国の県庁所在都市のなかで最も低い。

うかうかしていると、つくば市に取って代わられてしまうかも⁉

続きは「ここが茨城の中心だっぺ④」（P244）を見てくろ。

第19話 茨城は関東でいちばん安全だっぺ！

ちゃんちゃらおかしいわ
なんであんたがここにいるのよ！
ココ
あのおじいちゃんに聞いたら教えてくれたわ
ダイゴたち？
筑波山神社に行ったわい
あのジジイ、また余計なことを…
ググ…
で
なんか用ですか？
ずいぶん冷たい言い方じゃない。大事なことを教えてあげようと思ったのに…
え？
あんたが調べようとしている天狗党の碑《ひ》…
本当に見る価値あるのかしらね
フフ…
どういうことですか？
まあ行ってごらんなさい

【問題72】　茨城弁「ねこじる」とは？　A. 猫汁　B. 根を掘り起こす　C. 寝違える

筑波山神社（※11）
随神《ずいしん》門
筑波山神社って、ホントに山の中にあるんですね
杉の大木に囲まれて、なんか荘厳な雰囲気ね
創建3000年といわれるだけあるわ
えっと、天狗党の碑は…
キョロキョロ
もしかして…これ…？
もっとちゃんと案内とか解説があるもんだと思った…
文字もはっきりしないし…
あんたが思い入れている茨城の象徴なんてこんなものよ！
ヒッヒッヒッ
これでどうやって天下を取るのかしら？
ちょっとあんた、言い過ぎよ！
…いや
…
実際、天下は取れなかったわけだし…

【答え72】 C. 寝違える　寝違えることを「ねこじる」「ねっこじる」「ねくじる」といい、「寝て」「くじく」ことからきているものと思われる。　使用例：ねこじっちて首いでー（寝違えちゃって首が痛い）

もうひとつ見たいところがあるんです
あっ うん…
藤田小四郎※12之像
この小四郎を中心にして兵を挙げたわけだけど
?
そのあと…
藤田小四郎… 斉昭《なりあき》公の遺志を継ぎ…
最後まで攘夷思想を貫いた男…
本当に幕府を…
国を変えられると思ったんだろうか…
水戸を――
!?

【答え73】 B. はかどる　仕事や作業が「はかどる」ことを「はかいく」「はがいぐ」という。「はかどらない」は「はかいかね」「はがいがね」。

…
どうしたんスか?
いや…
続きは…車で話すよ…
ウフッ
私も乗せてね♡
あれ?
車って…
あ、ロープウェイのところだ…
ガマガエルのとこ…
ハア!?
何やってんのよ!
ピキッ
戻るしかないわね
もうすぐケーブルカーが出るわ。急ぎましょ!
え、ええ
もうすぐ出発よッ!
ドドドドド
KANG
バッ
ハァハァ
なんとか間に合ったわ…

【問題74】　「はしこい」の意味で間違っているものは?　A. すばしっこい　B. 賢い　C. ばっちこい

ガコンッ
え？
ごめんなさ～い！
じゃ～ね～
バスがあったことを思い出したの
さてと…
ちょっと時間あるし「筑波山神社入口」まで歩きましょ
だいじょうぶかなぁ、あんなことして
気にすることないわ。勝手についてきただけなんだから
へ～けっこうお土産もあるんスね
100
100
みんなに「ガマの油」を買っていこうか？
そうですね
あ～～
「筑波山温泉」って書いてありますよ！
筑波山温泉
つくば
筑波山って、火山だったんスか？

【答え74】 C. ばっちこい　　漢字で「捷い」と書き、動作が素早いことの他に、頭の回転が早いという意味でも使われる。　使用例：おめげの息子ははしけーな（おまえんちの息子は賢いな）

違うわよ
だいたい茨城には火山がないの!
そういえば聞いたことがないな…
たしか、15しかない「火山がない県」のひとつなのよ
あっバス来た
火山がないってことは静岡や…
群馬…
ん?
群馬出身
南海トラフ地震でも首都直下地震でも茨城の被害は限られているって予想だから いまのうちに首都を茨城にしちゃえばいいのに!
都心南部直下地震 想定震度
【震度】
6強～7
5強～6弱
5弱以下
参 中央防災会議資料
栃木のように火山が噴火して土石流が押し寄せる危険性がないってこと
つまり、茨城は比較的安全なのよ!
栃木出身
つつじヶ丘バス停
さぁいきましょ
謀《はか》ったわね!!
!?

【問題75】 「はっこ」はどんな意味か? A. 早く来い B. 印鑑 C. 熟成させる

ケーブルカーとロープウェイを乗り継いでたら時間がかかるから駆けおりてきたわ…
ゼェ
ハァ
ゼェ
ハァ
こっ…これからどこに行くの!?
ドドンッ
大子《だいご》に行こうかと…。
天狗党が都に向かって進軍を開始したところです
ちょっと一息入れましょ。あそこに休めるところがあるっス
…ありがとう…
…?
この中が涼しくていいっスよ
ガマ洞窟
じゃ、お言葉に甘えて…
サッ
五月さんダイゴさん!
ドタドタ
いまのうちっス!!
ギュルルルル
キャ〜
何よこのガマ!!?

【答え75】 A. 早く来い　　早く来い→はやっこー→「はっこ」と変化したもので、単に「来い」という意味でも使われる。そのため文法的にはおかしい「早くはっこ」という言い方も使われている。

で、
どこへ向かってるんだっけ?
大子《だいご》※13ですよ、奥久慈《おくくじ》の。
大子町
ここで天狗党が誕生し、徳川慶喜《よしのぶ》を頼って都を目指すことが決まったんです
第20話 時代は奥飛騨より奥久慈だ!!
おくくじっスか?奥飛騨《ひだ》ならしってるケド…
ハチ君は栃木生まれだからなじみがないかもしれないけど…
ブロロロ…
日本三名瀑《ばく》に数えられる「袋田の滝」※14があるところだよ
三名瀑といえば、栃木の「華厳《けごん》の滝」和歌山の「那智《なち》の滝」が鉄板でもうひとつは静岡の「白糸の滝」じゃないんスか?
華厳の滝
とにかく、県民としては「袋田」なの!
袋田の滝
サザエさんのオープニングにも使われてたし
で!
慶喜って、第9代水戸藩主斉昭《なりあき》の子よね?
水戸じゃなくて京都にいたの?

【問題76】 茨城弁「はっこむ」の意味は? A. 張り込みをする B. 張り切る C. 貼りつける

一橋家《ひとつばし》に養子に行って、このときは
禁裏《きんり》御守衛総督《ごしゅえいそうとく》という
京都御所を守る
役割だったんです
バリバリの尊王攘夷派だった
斉昭の影響を受けているから
天狗党を助けてくれる
はずだって 小四郎らは
期待したんです
あっ
こんなところに水族館がある!
ちょっと見ていきません?
山方淡水魚館
那珂川と久慈川の
淡水魚が中心だから
こぢんまりしているけど
地元の子どもたちは
喜びそうですね
タッチ水槽
オオサンショウウオもいるよ!
淡水魚でも
「なかがわ水遊園」は
トンネル水槽もあって
広くて充実してますよ。
栃木だけど…
栃木には海がないから
せめて施設だけは立派に、
って涙ぐましい努力をしてる
だけよ!!
いでっ
ぐにっ
…ん?
そう
いえば…
ここらへんに
納豆のお店が
あったような…

【答え76】 B.張り切る 「張り込む」が語源だが、いわゆる刑事の「張り込み」の意味ではなく、張り切るという意味で使われる。 使用例:はっこんでぐべ(張り切っていこう)

舟納豆
ボク、正直、納豆の味の違いがわからないんですけどそんなにおいしいんスか?
この店は県産の小粒大豆にこだわっているの
茨城には中国産や北海道産の豆を使っている工場が多いけど舟納豆は正真正銘の「メイドイン茨城」よ
舟納豆
納豆ファクトリー
お試しになります?
えっ、試食できるんスか?
大豆の味が濃くて…うまいっ!
ボクも買っていこう~っと!
さぁ先を急ぎましょう
ブロロロ…
ザッ
グッ
坂がキツくなってきた…
ザッ
もしかしたら小四郎たちもこの坂を…
ザッ

【問題77】　「はばったい」の意味として間違っているのは?　A. 腫れぼったい　B. だるい　C. 生意気だ

ザザッ
尊王攘夷
尊王攘夷
天狗党は筑波山で挙兵したあと 水戸藩内部の抗争や
幕府追討軍との戦いでボロボロの状態だった…
それでもあきらめず再び集結した…
大《こ》子《こ》に——

【答え77】 C. 生意気だ　　茨城の医療現場では「腫れぼったい」「むくんでいる」「だるい」という意味で使用される。標準語の「口幅ったい」は「生意気だ」という意味。

和紙の店とかりんごとか奥久慈も名物※15があるんスね
…
…？
考えごと…？
…りんごが有名になったのってわりと最近の話ね。
たしか戦後…
戦後って、十分昔の話っスけどね
プププッ
ぐにっ
うっ
奥久慈りんごは樹の上で完熟させるんですって！
だから"日本一"おいしいのね
あと、こんにゃくも名物だし――
「奥久慈茶」は日本北限のお茶として有名ね
こんにゃくが名物だなんて言ったら助さんに怒られますよ
スリスリ
あ？
群馬出身
じゃあ…
「奥久慈しゃも」でも食べてみますか？
なんだかおいしそうな響きっスね!!
ずいっ

【問題78】　「はらくちい」の意味はどれ？　A. お腹がへった　B. お腹がいっぱい　C. お腹が痛い

奥久慈しゃも生産組合
コンコン
せっかくだからしゃも肉買ってきました
あとパンフレット！
普通のニワトリの約3倍の時間をかけて育てているのね。食べ物にも気をつかって、運動もたっぷりさせて…
どんな鳥にも負けない"キング・オブ・地鶏"って感じっスね
身が締まってて、おいしそう…
じゃあ、どこで食べようか…
じゅる…
こことかどうです？
えっ？どこ？
弥満喜《やまき》です

【答え78】 B. お腹がいっぱい　「お腹がいっぱい」のことを茨城では「はらくちい」「はらくじい」という。
使用例：食い過ぎちってはらくちい（食べすぎちゃってお腹がいっぱいだ）

《奥久慈しゃも丼[極み]》 1,800円
《奥久慈しゃも塩焼き》 1,600円
何これ、おいしいんですけど！
うん、たれが薄味だからしゃもの味がよくわかりますね
たまごがまた濃厚！
トロ…
味わっていただけましたか？
はい
固すぎずやわらかすぎず、絶妙な加減ですね
そこがミソなんです
手間暇かけて育てているからそれに見合う味を引き出さないと

【問題79】 茨城弁で「ばっち」とは？ A. バッジ B. マッチ C. 末っ子

あー、おいしかった
でも寄り道ばっかりしてるから暗くなっちゃったね
僕、このまま泊まろうかな
もうちょっと考え事したいし…
おふたりは駅まで送りますよ
五月さん、ご老公に明日休むって伝えていただけますか?
はぁ〜〜〜?
…やっぱり、急に休むのは…
マズイですかね…?
逆よ!
ぎゅううう
とことん付き合うって言ってんの!!
ハチあんたもよ
えっ?そうなの?
私のいうとおりに走って!
は、はい…!
ここよ!
バァーーン
!?

【答え79】C. 末っ子　末子（ばっし）がなまったもの。茨城には「ばっちのばかぞう」という言葉もあり、末っ子は甘やかされて育ったからダメなんだという意味で使われる。

第21話 茨城の天下はすぐそこに!?

なんですか、あれ？
でっかいクルマみたいっスけど…
トラベルトレーラーよ。
ここ、キャンプ場なの
第21話 茨城の天下はすぐそこに!?
あっ！ 茨城に東日本で一番人気のキャンプ場があるって聞いたけどここだったんだ…
大子広域公園オートキャンプ場 グリンヴィラ
さっき受付で聞いたらトラベルトレーラーにキャンセルが出たって！ なかなか予約が取れないから大ラッキーよ！
どうせならゆったりとおっきなキャビンに泊まりたかったっス…
ハァ
狭いとこ苦手だし…
おめぇだけ外で寝てもいいんだがんな!?
ぐにっ
ガチャッ
さ、入りましょ

【問題80】 茨城で「ばっぱ」といえば? A. 母 B. おばあちゃん C. 葉っぱ

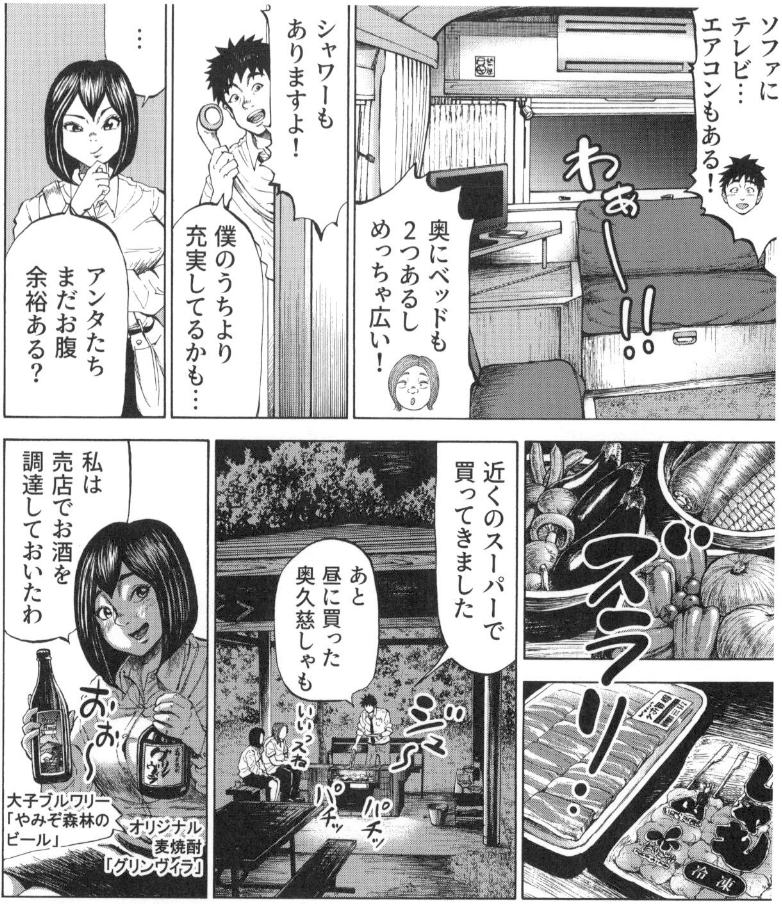
ソファにテレビ…エアコンもある!
わぁーー!!
奥にベッドも2つあるしめっちゃ広い!
シャワーもありますよ!
僕のうちより充実してるかも…
…
アンタたちまだお腹余裕ある?
ズラリ…
冷凍
近くのスーパーで買ってきました
あと昼に買った奥久慈しゃも
ジュ～
いいっスね
パチッ
パチッ
私は売店でお酒を調達しておいたわ
おぉ～
大子ブルワリー「やみぞ森林のビール」
オリジナル麦焼酎「グリンヴィラ」
ボク、ホントはインドア派なんスけどたまにはこういうのもいいっスね
わい
わい
まちの灯りも届かない山の中だから大自然を満喫できるもんね
そうですね…でも…
ん?

【答え80】 B. おばあちゃん　　主に北部で使われる言い方で「おばあちゃん」のこと。おじいちゃんは「じっち」となる。　使用例：じっちもばっぱも元気だよ（おじいちゃんもおばあちゃんも元気だよ）

天狗党は大子《ここ》で再決起して武田信玄の(自称)末裔・武田耕雲斎《こううんさい》、水戸藩町奉行の田丸稲之衛門《いなのえもん》…
そして藤田小四郎たちを中心に、慶喜がいる京都に向かったんですが…
ぐにっ
え～っまた天狗党っスか？
ここからの道のりが厳しくて…
まさに死の行軍《こうぐん》だったんです…
天狗党西上行程
黒羽
大子
鹿沼
下野
上野
信濃
太田
武蔵
和田
《下仁田の戦い》
《和田峠の戦い》
下仁田
伊那
甲斐
妻籠
美濃
季節は冬だし、幕府軍が天狗党追討令を出していたのでいつ敵に襲われるかわからなかったし、山道ばかり通っていたので大変だったんです。
大子からはまず八溝山地を越えなきゃいけない。
上野(群馬)の下仁田、信濃(長野)の和田峠では大きな戦闘があってそれを切り抜けたと思ったら「桜田門外の変」で水戸に恨みを持つ彦根藩や大垣藩が「絶対通さん」と立ちはだかって…
それでしかたなく雪深い蝿帽子峠《はえぼうし》を越えなきゃならなかったんです…
ザッ
ザッ
ザッ
そこまでできたのは慶喜が助けてくれると信じてたから…

【問題81】 ぱすぱすな服ってどんな服？ A. きつくてぴちぴち B. ゆるくてぶかぶか C. ジャストサイズ

でも、そのときはもう…
慶喜が「天狗党を許すな」というお触れを出していたんですよ
包囲された天狗党は越前（福井）の新保で加賀藩に対して投降します。
越前
新保
近江
加賀藩は幕府に対して寛大な処置を求めたんですが…
…
ゴクリ…
投降した828名のうち武田耕雲斎、藤田小四郎など353名が斬首…
あとは島流しなどになりました
ウッ
よくわからないんですケド…
慶喜って水戸出身だし味方じゃなかったんスか？
…やっぱり自分がいちばん大事だったんじゃないかな。
それでも身内を切り捨てるわけだからもちろん葛藤もあって仕方なくという面もあったと思うよ
さらにそのあとの話が生々しくて…

【答え81】 A. きつくてぴちぴち　「ぱっつんぱっつん」がなまったものと思われ、ぎりぎり、いっぱいいっぱいの状態を指す。時間に使うこともでき、時間ぎりぎりという意味になる。

反・天狗党の諸生党の人たちが天狗党に関係していた人の家族を惨殺したんです
えぇ!?
元はといえば身内じゃないっスか
そう…
ボッ
でももっとすごいのはここからで…
明治維新で、幕府側、つまり保守派(諸生党)と革新派(天狗党)の立場がクルッと180度変わりました。
耕雲斎といっしょに行軍していた孫の金次郎が島流しから水戸に戻ると、仕返しとばかり、諸生党の人たちを粛清したんです
…そして、茨城には"人物"がいなくなっちゃったのね
茨城に哀愁やマイナー感が漂ってるのはそういう歴史的な背景も関係してるのかも…
たしかに悲しい歴史ではあるんだけど…
自らの信念を貫く強さとか―
現状を打破する革命精神とか学ぶことはたくさんあると思ったんです
でもそんな強い想いを持った人なんています?
フッ

【問題82】 「びんこ」は身体のどの部分? A. あご B. 眉毛 C. もみあげ

【答え82】 C. もみあげ　　理髪店で「びんこどうしますか?」といわれたら「もみあげの処理をどうするか」聞かれていることになる。ちなみに眉毛は「まぎめ」「まみげ」という。

【問題83】 「ぶっとばす」と「ぷっとばす」はどちらの衝撃が強いか？ A. ぶっとばす B. ぷっとばす C. 同じ

もちろんまだ見ぬ
スゴイ人も
たくさんいるはずだし
そうよ！
ガタッ
!?
そんなみんなの努力に対してマイナーだとかイマイチだとか—
納豆くさいとか、なまってるとか言われで黙ってらんめえよ！
誰もそこまで言ってないっス！
グリグリ
「回天」です
えっ!?
人間魚雷っスか？
回天は"天下の形勢を変える"って意味です。
藤田東湖の回天詩史っていう漢詩があって…
世の中の価値をひっくり返して目にモノ見せてやるんですよ！
グルッ
でもどうやって？
え〜〜〜とそれは…
モジモジ
フッフッフッ…

【答え83】 C. 同じ　茨城ではしばしば「ぶ」が「ぷ」になることから、「ぶっとばす」を「ぷっとばす」、「ぶつかる」を「ぷつかる」という。発音が変わっただけなので、威力はまったく同じである。

やっぱり私の出番のようね
ドドン
あんた、ほんっとにしつこいわね
なんでつきまとうの!?
バッ
あんたたちのやってることに興味がわいてきてね
ストッ
とくに…
ダイゴのまっすぐなところが…
スッ
ドキンッ
プロジェクトの設計にはきっと役に立つわ❤
うっ…
翌日―
ブロロロ…
ねぇダイゴ
私をテストするってどういうこと?
行けばわかりますよ

【竜神大吊橋】※16
竜神峡にかかる
高さ100m超の吊り橋。
四季折々の景色が楽しめる。
バンジージャンパーの
聖地でもある。
準備OK！
これって…
テストです！
ビッ
うぅ…
なんでボクも…？
ついでよ
トンッ
あっ
ギョエ〜
※実際は二人同時に飛ぶことはできません。あしからず。

茨城王《イバラキング》の「だっぺディア」vol.5

■天狗党の乱（P183 ※1）

ざっくりいうと、水戸藩士たちが日本の将来を憂いて、幕府に「しっかりしてくれよ」と迫った事件。で、『波山始末』とは、その顛末を旧水戸藩士・川瀬教文《のりぶみ》が記したもので、なんと明治32（1899）年刊。県民以外は興味がないかもしれないが、天狗党関係の本はいまだに刊行され続けており、一定の人気を保っているのだ。

もともとは個人経営だったミニ動物園「東筑波ユートピア」をテコ入れするためにクラウドファンディングで

■日本一客が来ない動物園（P184 ※2）

石岡市八郷地区の峰寺山中腹にある動物園。テレビ番組で「日本一客が来ない動物園」として取り上げられて話題になった。現在は世界一をうたうイノシシ牧場「いのししのくに」が新設されている。

ちなみに、私が同園を最初に訪れたのは、いまから約40年前の1979年。大型バスに乗って訪れた小学1年の遠足の行き先がこのユートピアだった。当然、古さなどみじんも感じず、園内はおサルさんでいっぱいだった記憶がある。帰りに300円のお小遣いでワニのおもちゃを買ったっけ……。

時は流れ、平成中期の2005年。茨城のB級スポットを巡るなか、山の奥地でひっそり営業していたユートピアは、そこだけ時代に取り残されたザ・昭和の施設だった……。
　この時点で、すでにお猿の楽園の面影はなかったが、あの状態で踏みとどまって令和の時代を迎えられたのは奇跡と言っていいだろう。

■でっかいガマガエル（P187 ※3）

筑波山の「つつじヶ丘」にあるガマをテーマにしたアミューズメントスポット。でっかいガマガエルが目印だ。東筑波ユートピアと並び、ただならぬ昭和臭を放っており、B級スポット好きの心をとらえて離さない。

なんか、でっかいガマガエルがいるんスけど…

　ミニ遊園地「ガマランド」は、老朽化により遊べる遊具がほぼ皆無だが、併設されているお化け屋敷「ガマ洞窟」は未だ現役である。いろんな意味でコワいが（汗）、勇気を出して入ってみっぺ！

■水戸黄門（徳川光圀）（P192 ※4）

水戸藩第2代藩主で、『大日本史』を編纂し、最初にラーメンを食べ、靴下を履いた……などエピソードには事欠かない、茨城というより日本のヒーロー。

日本で初めてラーメンを食べた！
…そ、それもあるけど…
ズルッ
悪者を懲《こ》らしめた！
それは、作り話。
ハハ〜

　名君の誉れ高く、庶民のあいだでも人気だったというが、黄門様がこれだけの知名度を誇っているのは、全国を漫遊して世直しをするテレビドラマ「水戸黄門」が大ヒットしたからだろう。ただし、それよりもずっと前、幕末に「水戸黄門漫遊記」という講談が生まれ、人気を誇っていたという。
　ちなみに私の子ども時代には、時代劇アニメ「まんが水戸黄門」や、エドン国のミト王子が活躍するロボットアニメ「最強ロボ ダイオージャ」なんていうのもあって、水戸黄門は子どもにも身近な存在だった。

■水戸学（P192 ※5）

「水戸黄門」こと徳川光圀によって編纂が始まった歴史書『大日本史』は、二百数十年かかって明治時代にようやく完成したのだが、その過程で生まれた思想や学問が「水戸学」。

ざっくりいうと「天皇を中心に、日本が一つになって外国に対抗すっぺ」という考えで、幕末の尊王攘夷運動や明治維新に大きな影響を与えた。当時の水戸は時代の最先端だったんだかんね！

『大日本史』を編纂《へんさん》したんだよ

■徳川斉昭（P193 ※6）

第2代藩主・光圀と並び称されるのが、第9代藩主の斉昭。「とにかく勉強が必要だ」ということで藩校・弘道館をつくったり、藩民の憩いの場・偕楽園を整備したりと、業績は枚挙にいとまがない。

子だくさんでも有名で、男の子22人、女の子15人をもうけている。つけた名前がけっこう適当で、長男以外は二郎麿、三郎麿……二十麿など。なんだかなぁ。で、7男の七郎麿がのちに一橋家に養子に行き、最後の将軍・慶喜となった。慶喜は、茨城にルーツを持つ人のなかで、最も出世した人物だどな。

■藤田東湖（P195 ※7）

水戸学中興の祖といわれる藤田幽谷の子で、水戸学を発展させた人物。尊王思想を説いて、幕末の歴史、思想史に大きな影響を与えた。東湖の子が、天狗党のリーダー・小四郎だ。

■もし幕府と対立したら……（P196 ※8）

あの渋沢栄一が編纂した『昔夢会筆記』（平凡社／東洋文庫　1966年）によると、斉昭は光圀以来の家訓として、慶喜に次のように伝えたとか。

「もし朝廷と幕府が武力衝突するようなことがあれば、幕府に背くことになっても朝廷に逆らうようなことがあってはならない」

渋沢は尊王思想に大きく傾斜しており、天狗党にも心を寄せていたんだな。ところが慶喜との出会いで、渋沢は天狗党討伐に加わることに……。

■安政の大獄／桜田門外の変（P198 ※9）

歴史の授業で必ず習うこのふたつ、じつは茨城県に大いに関係のある話なのだ。

大老・井伊直弼にとって、バリバリの尊王派である斉昭は目の上のたんこぶ。不平等条約を天皇の許可なく勝手に結び、幕府の跡継ぎを水戸徳川家出身の慶喜ではなく、紀州徳川家の家茂にした直弼は、反対勢力を「やりすぎだっぺ!?」ってぐらい、徹底的に弾圧。これが「安政の大獄」だ。ほんの一例をあげると、水戸藩の重鎮や尊王派の吉田松陰は死罪、水戸藩主・慶篤や、その弟で一橋家を継いでいた慶喜は謹慎、斉昭は永蟄居、てな具合。

《安政の大獄》

これを不服とする水戸脱藩藩士（天狗党）らが直弼を暗殺した《桜田門外の変》

これにいじやけた水戸藩士や一橋派（後継問題で慶喜を推していた一派）の薩摩藩士などが暴発。

いまの東京タワー近くの愛宕神社で集合して、江戸城の桜田門近くで直弼を襲撃し首をとった。これが「桜田門外の変」だ。
２０１０年には、「水戸藩開藩四百年記念」ということもあり、茨城県が総力を挙げて映画化に協力（『桜田門外ノ変』原作：吉村昭）。水戸藩士の視線から描かれているので、まだ観たことのない人はぜひチェックしてくれ！

■天狗党（P198 ※10）

開国で海外の安い綿織物などが国内に流通するようになり、それまで綿花などを作って暮らしていた庶民の生活が圧迫され、「なんとがすっぺ」と立ち上がった人たちが起こしたのが「天狗党の乱」。「乱」というのは多数派から見たもので、本人たちに言わせると「義挙」になる。
「水戸藩士＝テロ集団」などといわれることもあるけど、無差別に破壊行為をしたのではなく、彼らの行動にはきちんと筋が通っているのだよ。
え、その「かたくなさ」がいけないんだって？　根回しをしたりして、もっとうまくやれって？　そんな器用なことができるなら、そもそも「７年連続魅力度最下位」にはなってねえべよ。

■筑波山神社（P202 ※11）

筑波山の中腹にある神社で、詳しい創建時期は不明だが、３０００年の歴史があるとされている。ご神体は「筑波山」。つまり、山全体がパワースポットってことなんだかんね。

筑波山神社随神《ずいしん》門
筑波山神社って、ホントに山の中にあるんですね

ケーブルカーの駅がすぐ近くにあり、ロープウェー駅があるつつじヶ丘と並んで、筑波山登山の起点となっている。

■藤田小四郎（P203 ※12）

水戸学の大家・藤田東湖を父に持つ。水戸藩尊王攘夷派の志士として62人の同志たちと筑波山で挙兵。その後、天狗党の実質的指導者として京都を目指す行軍を指揮した。結局京都に行くことはできず、迂回した先の敦賀で捕縛され処刑されてしまう。

■大子（P209 ※13）

NHKの朝ドラ「ひよっこ」に登場する「奥茨城村」のモデルといわれる、茨城県北西部に位置する観光が盛んな町。現在の人口は1.5万人ほどだが、最盛期の人口は4万人を超えていた。久慈川の上流に位置し、栃木、福島との県境には県内最高峰の八溝山（1022m）がある。

袋田の滝
とにかく、県民としては「袋田」なの！
サザエさんのオープニングにも使われてたし

■袋田の滝（P209 ※14）

奥久慈最大の観光スポットにして、茨城の滝の代名詞であり、日本三名瀑のひとつ。那智の滝（和歌山県）や華厳の滝（栃木県）が王道ともいえる直下型であるの対し、袋田の滝は「四度《よど》の滝」と呼ばれ、四段になっている。この点を突いて、三名瀑として見劣りするという不届き者がいるが、野球のピッチャーがみんな速球の本格派ばかりだとつまらないのと一緒で、技巧派の変化球投手も必要なのである。

また、袋田の滝は三名瀑で唯一「全面凍結」する。観光パンフレットなどでは、「氷瀑」をクライミングしている写真が使われているけど、チャンスがあったら登ってみたいものだ。

■(奥久慈の)名物(P213※15)

樹の上で完熟させてから収穫する「樹上完熟」が特長の「奥久慈りんご」、秋田の比内地鶏、名古屋コーチンとともに日本三大地鶏のひとつに数えられる「奥久慈しゃも」、茨城三大銘茶のひとつで北限のお茶ともいわれる「奥久慈茶」、漁獲量日本有数の「鮎」、八溝山系の天然水と国産大豆を使った「ゆば」、優良品種として知られる「常陸秋そば」など、茨城を代表する産品が揃う奥久慈。こんにゃくの生産もさかんで、今日のこんにゃく産業の礎となった「こんにゃく粉」は江戸時代に奥久慈で生まれたとされている。

えっ、「三大地鶏のあとひとつは薩摩地鶏だ」って?「茨城三大銘茶なんか知らない」って? ゆばは日光、そばは長野の名物だって? おめえら、ずいぶん遅れでんなぁ。時代は茨城なんだかんな。

【竜神大吊橋】
竜神峡にかかる
高さ100m超の吊り橋。
四季折々の景色が楽しめる。
バンジージャンパーの
聖地でもある。
準

■竜神大吊橋(P226※16)

竜神ダムの上に架けられた吊橋で、その長さは375m。完成当時は、歩行用の橋として日本一の長さを誇っていた。その後、静岡などにもっと長い橋ができてしまったが……。

近年はその長さよりもバンジージャンプの聖地として取り上げられることが多い。高さ100mで、常設施設としては日本一……のはずだったが、ホームページを見たらこちらも日本第2位になってるじゃないか!(汗)

まあでもこの吊橋が絶好のロケーションだということに変わりはないのだ。とくに紅葉時期は絶景だっぺよ。周辺にはうんめえ「常陸秋そば」を食べられる店もいっぱいあっと~。

part 6

ナットー国の時代、いまここに始まる!!

納豆をよく食べる地域は北関東と東北。
つまりこれらの地域は、
文化を共有しているといってもいい。
と同時に、明治の昔から〝賊軍〟として
しいたげられてきた。
しか～し、そんな悲しい時代はもう終わりだ。
納豆をこよなく愛する北関東・東北の諸君、
東京が日本を牛耳る世の中に
「なっと（う）くできねぇ」と言ってやっぺ！

県庁第二観光課プレハブ
なんじゃなんじゃ、どいつもこいつもボケーっとしおって！
第22話　これで北関東の最底辺争いに決着だ!?
だらく〜ん
世の中の価値観をひっくり返す！なんていっても、その方法が思いつかなくて…
はぁ…
じゃあ鉾田にある「とちぎ海浜自然の家」を封鎖して茨城のありがたさを痛感してもらうべ！
なぜか茨城にある栃木の施設ですね!?
バカモンッ!!
栃木はのう茨城にかわって魅力度最下位という屈辱を引き受けてくれたありがたい存在なのじゃ！
ププププ
あまりバカにするでない！
セリフと表情が合ってませんけど…

【問題84】　茨城弁「ぶづ」の意味は?　A. 物　B. ぶどう　C. 打つ

ご老公…底辺で争っている場合じゃありませんよ！
そうだそうだ！
わーわー
栃木がかわいそうじゃねぇか!!
ムム…
もしや貴殿は群馬が過去最高の40位になったから喜んでおるのではないか？
群馬出身
ギクッ
…バカにしてもいいっスよ！
栃木出身
でも群馬と違って栃木は30位台になったことがあるんスからねーだ！
ワーー
そんなこと言ったら茨城は最高でも42位止まりじゃねぇか!!
ちょっちょっと…
あ〜
忘れちってた！大事な予定があったんだ!!
ダイゴ、ハチ！
行くわよ！
？

【答え84】 C. 打つ　　単体だとわかりにくいが、「そば打ち」は「そばぶぢ」、「肥料をやる」は「こやしぶづ」、めんこ遊びは「パーぶぢ」、「打ち身」を「ぶぢみ」などという。

で
どこへ行くんですか？
別にどこでもいいよ
抜け出したいだけだったから
栃木の最下位が発表されてから毎日あんな感じですからねぇ
…なんか肩身が狭いッス
ずいぶん走りましたけど…
気分転換に○タバでも行きますか？
嫌よ
そんなケモノが泥浴びするようなところ
それはヌタ場じゃ…
あっ！
ここは!?
COFFEE HOUSE
とむとむ 龍ケ崎店

【問題85】「ぶどっぱな」はどんな鼻水？ A.青っぱな B.水っぽい鼻水 C.鼻血

へぇ、天井が高くていい雰囲気ッスね
環境を変えることも大事よね
ここならなにか出そうです！
30分後……
なんか浮かんだ？
いいえ…。ハチくんは？
ボクも…
どうしたんですか？景気の悪い顔をして
？
ああ、失礼。私、こういう者です
サッ

【答え85】 A. 青っぱな　　ぶどうのような色をした鼻水ということで「ぶどっぱな」。たしかに、いわれてみれば、紫がかった青い鼻水に見える。　使用例：ぶどっぱな出でっぺ（青っぱな出てるだろう）

とむとむの社長さん!?
ニッ
有限会社とむとむ
社長
小池康隆
あっ、どうも…
スッ
どうぞ どうぞ
じつは仕事が暗礁に乗り上げちゃって…
なるほど…私にもそんなことがあったなぁ
以前は証券マンだったんですが毎日気苦労が絶えなくてねぇ…
もう無理…辞めてやる…!
プルルル
プルルルル
証券会社勤めに疲れた小池さんは脱サラして喫茶店を開こうと決意
松戸にいた妹夫婦のレストランでサイフォンコーヒーの修業をし—
1977年に取手で喫茶店を開業した
店近くの取手市民会館で「8時だョ！全員集合」(※1)の公開生放送があったりして大盛況
志村うしろ!!
アハハハ
ところが道路拡張のあおりで店が立ち退きに
アナタどうするの!?
そ…そんな…
ガタ
ガタ
1982年に利根町に移転
ここで仕切り直そう!
ええ!

【問題86】　「へえめ」とはどんな生き物?　A.ハエ　B.ヘビ　C.カメムシ

こんなところでコーヒー屋なんかやってもカラスしか来ねぇぞ〜
でも、1985年につくば万博があったでしょ？
そのおかげで通りに人が増えたし団地ができたりして店は繁盛しました
つまり成功したのはラッキーだったんスね!!
ビッ
そんな甘くないですよね!?
えぇ？
憩いの場を提供したいという夢…
この茨城で世界最北のコーヒー※2をつくりたいという夢…
コーヒー専門店の地位を上げたいという夢…
どんな状況でも夢だけは失わなかった…
だから店名は十《と》夢《む》十《と》夢《む》※3
なるほど！

【答え86】 A.ハエ　ハエに生き物の名前のうしろに付ける「め」が付いて「へえめ」となる。ちなみにヘビは北部では「へんめ」といわれる。カメムシは「へくさむし」「へっぴりむし」など。

「コーヒー専門店を名乗るなら
豆はもちろん土作りや抽出にまで
精通していなければならない」
との想いから――
1982年
店(利根本店)の裏に温室をつくり
珈琲栽培の研究を始める
1985年からようやく収穫でき――
「トネビーンズ」のコーヒーは
10月に「とむとむ」で
提供している
また小池さんは
コーヒーマイスター制度――
日本スペシャルティ
コーヒー協会の成立に貢献
Coffee Meister
ECIALTY COFFEE ASSOCIATION OF JAPAN
娘の美枝子さんは
同協会のコンテストの
サイフォン部門で
優勝した(2006年)
トネビーンズは
世界最北の
コーヒーとして
ギネスにも
申請しました
たしかに
コーヒーって南国の
イメージあるわね
取手で喫茶店を始めるときも
利根町で再出発したときも
温室で珈琲を栽培しはじめたときも
みんなに「無理だ、やめとけ」って
言われたんですけどね
…ん?
トトト
どうし
たの?

南国の作物まで茨城でできるってことはほどんどの農作物が作れるってことですよね
まあ、みんなが知っているようなものならたいていできるわね
ズズ…
ボクの好きなバナナやマンゴーも？
バナナならうちのハウスで作ってるよ
マンゴーはもう小美玉でつくってるわよ。キウイだって穫れるし…
茨城って、いろんな作物の北限とか南限になってるの(※4)。たとえばみかんは茨城が北限だしりんごは南限。つまり、暖かい地方の作物も寒い地方のものも、なんだって穫れるんだから！
関東の米は茨城が供給基地になってるし小麦も穫れるんですよね？
なるほど…
ええ、そうよ。それが？
つまり、作物に関しては主食もおかずもデザートも穫れるわけか…
う〜む…

【答え87】B.懐中電灯　棒状の電気という意味で「棒電気」、または棒状の電池という意味で「棒電池」という人もいる。なお、電池のことを「炭」という言い方も年配者の間ではまだまだ健在だ。

!!
ガタッ
どうしたんスか?
なんかひらめいたかも!
五月さん、戻って作戦会議しましょう! 昆さんも呼びます!
ん? どうかしました?
ぐんっ
どーうしてそこで昆が出てくんだよ
関係ねえべ!
あいつきっとダイコを狙ってんだわだから
どうってわけじゃないけど
なんかいじやけてくるっ!
何かつかんだようだね
社長のおかげです!
じゃっ…
なんか悪い予感が…

ごじゃっぺコラム

ここが茨城の中心だっぺ！④

番外編

名前だったら「茨城町」!?

「茨城県東茨城郡茨城町」……これほど茨城を連呼しているのだから「茨城町」も茨城の中心としてアリなのでは？　と思ったが、アンケートではまさかの圏外。「町」で人口が少ないし、歴史的な名称でもないので、しゃーんめが。

　茨城町が含まれる東茨城郡は、西茨城郡と分割される前は「茨城郡」で、このエリアには水戸も含まれていた（ただし、「石岡市」で紹介した古代の茨城郡とはエリアが違う）。この茨城郡が県名のルーツになるわけだが、1871（明治 4）年の廃藩置県の時点では茨城県は存在せず、茨城郡はなんと「水戸県」だったのだ。ああ、幻の水戸県 !!

　しかし、その後、水戸県は他の県と統合され、水戸県がある茨城郡の郡名が県名に採用されてしまったのだ。え？　いまからでも「水戸県」に変えたほうがいいって？　そのほうが「魅力度」が上がるって？　それなら、いっそ南は「筑波県」で独立したほうがもっと上がるかも……。

【問題88】 茨城弁の「ぼっち」とは何のこと？ A. 一人ぼっち B. お墓 C. 山積み

あっ帰ってきた！
ワクワク
はい これ
なんスか…？
これ…
焼き芋よ。でも、普通のサツマイモだと思ったら大間違いよ！「かいつか」のブランド焼き芋なんだから！
何度かテレビにも出ているとこですよね？
焼き芋って、庶民のおやつでしょ？ボクはあんまり…
つべこべ言わずに食えッ！
ガボッ
うぐっ
もぐもぐ
…！
すごくおいしいっス！
茨城が誇るサツマイモのなかでも厳選された紅天使《べにてんし》をさらに熟成させてるらしいからね
糖度がとにかくすごいのよ
ぐっ

【答え88】 C. 山積み　一人ぼっちのことを略して「ぼっち」というが、茨城で「ぼっち」といえば昔から山状に積まれた状態のことだ。何を積むかによって、草ぼっち、肥やしぼっちなどといわれる。

やっぱり茨城の底力ってスゴイですよね！
ブワッ！
日本中の人たちに茨城の大切さをわかってもらわなきゃ！
えっ
車出しますね！
茨城再生プロジェクト
ズラリ…
みなさん、揃いましたね？
ご老公は出かけていますよ
大丈夫です
ご老公の耳にはまだ入れたくないので…
まだちゃんとした資料もないのでとりあえず聞いてください…

【問題89】　茨城弁の「まさか」の意味は？　A. よもや　B. 本当に　C. まだか

ご存じのとおり、茨城は
7年連続最下位から脱出し
42位まで浮上しました
あぁ。だがまた最下位に
逆戻りする可能性だって
けっこうあるぜ
最下位のほうが
目立ってよかったと
抜かす不届き者も
いるし…
素直に喜べないなんてよっぽど
虐げられてたってことだろ
それで?
そもそもある調査での
順位は茨城自体の価値とは
まったく関係ないはずです
なのに、いつの間にか
それがすべてのように
扱われている…
う〜ん。
世間がそういう目で
見るからついつい私たちも、
そう思い込んでいるところは
あるかもね
茨城の農業は日本有数、
いや、生産品目の
バリエーションでいえば
日本一といっても
過言ではありません
なにせりんごから珈琲まで、
亜寒帯から熱帯の作物まで
穫れちゃうんですから

【答え89】 B. 本当に　通常のまさかは「よもや」の意味で、予想していなかったときに使うが、茨城ではむしろ予想どおりのときに強調の意味で「まさかすごいね」＝「本当にすごいね」などのように使う。

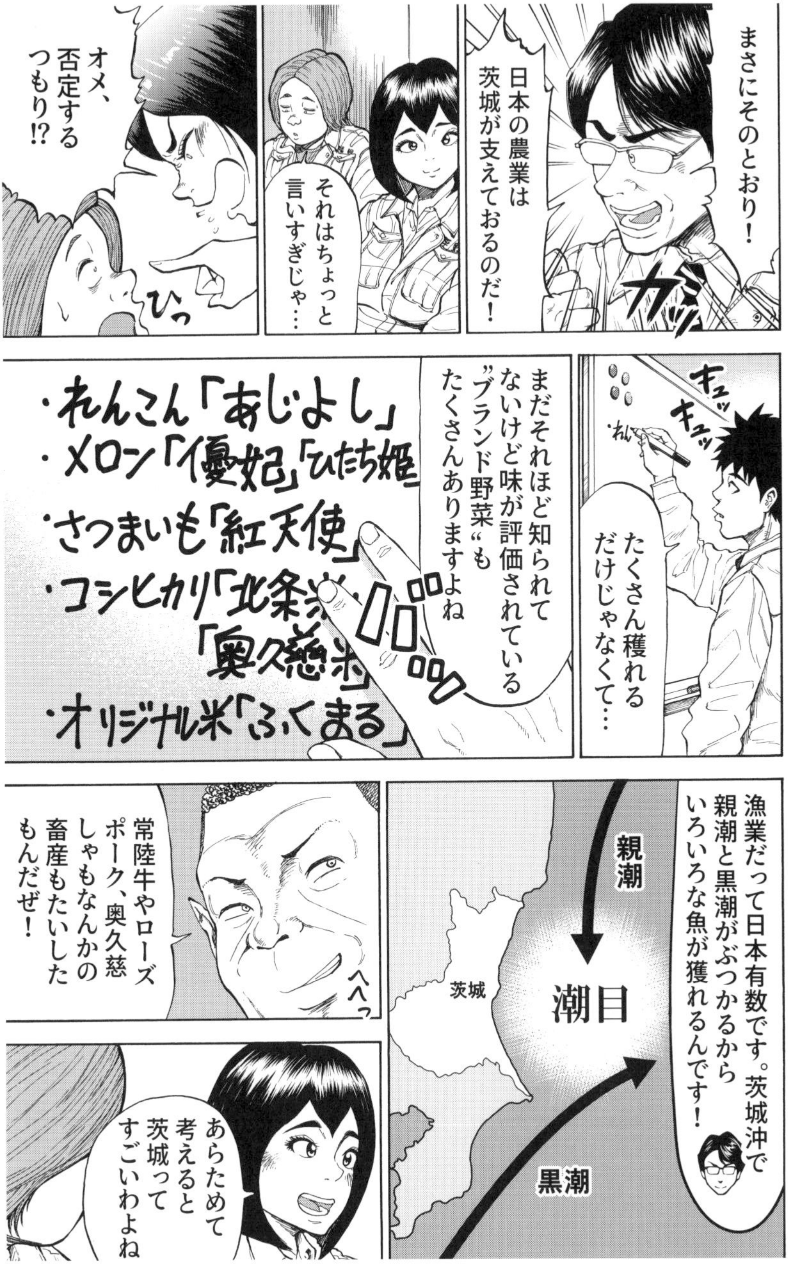
まさにそのとおり!
カッ
日本の農業は茨城が支えておるのだ!
それはちょっと言いすぎじゃ…
オメ、否定するつもり!?
ひっ
キュッ
キュッ
たくさん穫れるだけじゃなくて…
まだそれほど知られてないけど味が評価されている"ブランド野菜"もたくさんありますよね
・れんこん「あじよし」
・メロン「優妃」「ひたち姫
・さつまいも「紅天使」
・コシヒカリ「北条
「奥久慈
・オリジナル米「ふくまる」
漁業だって日本有数です。茨城沖で親潮と黒潮がぶつかるからいろいろな魚が獲れるんです!
親潮
茨城
潮目
黒潮
常陸牛やローズポーク、奥久慈しゃもなんかの畜産もたいしたもんだぜ!
へへっ
あらためて考えると茨城ってすごいわよね

【問題90】 茨城弁の「まじっぽい」はどんな意味? A. 本当らしい B. まぶしい C: 都会的

一次産品だけじゃないわ。工業もがんばってるし航空宇宙産業※5にも力を入れているのよ
カタカタ
ということは、茨城には何でもあるってことですね？
えーえ
ほかの県は、農業はすごいけど工業が弱いとかサービス業はすごいけど農業がからっきしとかいう場合が少なくないけど茨城はバランスがとれているわね
スッ
でもよぉ…
逆にいうと特徴がないってことだろ？
「何でもあるけど、みんな中途半端」なんていわれちゃってさぁ
たしかにそういうところはあると思いますが…
それってほんとにいけないことでしょうか？
！
つまり…
何でもあるっていうことは茨城の中にミニ日本があるようなものです

【答え90】 B. まぶしい　「まじっぽい」「まじっぺえ」「まじらっぽい」などの言い方でまぶしいときに使う。
使用例：まじっぽくてだいだ（まぶしくてだめだ）

茨城が独立しても
やっていけるって
ことです！
!!
いつか茨城が「独立戦争」をする可能性だってなきにしもあらずでしょ？
あ!!

【問題91】「マッ缶」と呼ばれる缶コーヒーとは?

あのダサイタマ県民にさえバカにされ
東京都民は、茨城が食料生産を請け負ってやっているのにその恩義を仇《あだ》で返しています
イバラギかよ
だっせ〜の!!
茨城県? 行ったことねーわ
ってかこれからも行かねーわ
これだけ茨城の魅力を訴えてもわかってもらえないなら独立するしかありません!
もし茨城がなかったらどんなに大変なことになるか切実に感じてもらうんです
つまりそのためのコンサルをしろってことね
…おもしろいじゃない
フッ
なんだか悔しいけど仕方ないか ダイゴもこんなヤツに頼むことないのに! あ〜いじやける!
私たちが補佐しましょう
ぐっ
任せとけって!
私たちはどうする?
大切な任務があるんです
あとで話しますよ

【答え91】マックスコーヒー　茨城ではジョージアブランドよりも先に販売されていたコカ・コーラ社のご当地缶コーヒー。練乳入りで現在の本格缶コーヒーと比べて激甘なのが特徴のソウル・ドリンク。

ところで…
独立するなら国名と首都を決めねばなりませんね
「茨城国」より「常陸《ひたち》国」(※6)のほうが雰囲気はあると思うが…
でも「常陸」って、旧国名ではあるけど、茨城県全体を指すわけじゃないし…
じゃあ「ナットー国」でいいじゃないっスか
あっあの…ひさびさにアレやりません…?
景気づけに!
いいね!
じゃ、みんないいな!?
サッ
しみじみ…
やっぺ!!
サザコーヒーで休憩中
うむうまい
ズズ…

茨城王《イバラキング》の「だっぺディア」vol.6

■「8時だヨ！全員集合」（P239 ※1）

ドリフの「8時だヨ！全員集合」の会場に使われていたことでも知られる取手市民会館は、コンサートやお笑いイベントが数多く開かれている、取手市民にとってはおなじみの施設だ。

「8時だヨ！全員集合」で使用された回数は31回。1977年にはセットが火事になるという伝説的なハプニングもこの会場で起きている。「ああ、あれね」と思ったあなたは50代確定!?

DVDや動画配信サービスでも、取手市民会館で収録されたコントを見ることができるので、茨城のドリフファンはぜひチェックしてみてほしい。

「トネビーンズ」のコーヒー

■世界最北のコーヒー（P240 ※2）

赤道から南北緯度25度のエリアに集中しているコーヒー豆の栽培地だが、じつは茨城でもコーヒー豆が栽培されているというから驚きだ！ 利根町で収穫された「トネビーンズ」は、世界最北のコーヒーとしてギネスへ申請されたとか。

利根町は北緯36度だから、まさに記録的。毎年10月1日の「コーヒーの日」から数日間、「とむとむ」各店でこのコーヒーが味わえる。

■とむとむ（P240 ※3）

まちの小さな喫茶店から利根町で再出発。コーヒー豆の栽培も行い、龍ケ崎市、つくば市、牛久市にも進出。いまや県南を代表するコーヒー専門店となった「とむとむ」。ひたちなか市に本拠を置く「サザコーヒー」と並ぶ、茨城を代表するコーヒー専門店だ。

どんな状況でも夢だけは失わなかった…
だから店名は十《と》夢《む》十《と》夢《む》

特徴的なとんがり屋根の建物は樹齢300年のカナダ杉を使用しているとか。

ちなみに社長は、シニアによるスポーツと文化の祭典「ねんりんピック」（全国健康福祉祭）の水泳競技で優勝経験があるほか、世界マスターズ水泳選手権で日本記録と世界記録を樹立した経験の持ち主。なるほど、只者ではないっ!

■いろんな作物の北限とか南限（P242 ※4）

北限・南限の作物といえば、北限のみかん（筑波山麓）や南限のりんご（大子町の奥久慈りんご）が有名だが、お茶の北限も茨城の大子町（奥久慈茶）だ。本編で触れられているマンゴーは「小美玉SUN完熟マンゴー」。パパイヤなら「那珂パパイヤ」がある。

もうここまでくると、茨城ならなんでも作れてしまう気がする（笑）。

また、茨城は農産物に限らず植物の南限北限にもなっているようで、ウチワサボテンの北限、ハマナスの太平洋側南限だったりもする。

るし…
茨城って、いろんな作物の北限とか南限になってるの。

この気候条件に加えて、平らで広い土地や、都心へのアクセスの良さも兼ね備えているのだ。あとはブランド力だけだっぺよ!

え、それが難しいって？ そ、そんなことないもん！

■航空宇宙産業（P250 ※5）

つくば市はJAXA筑波宇宙センターをはじめとする研究機関が集積する「日本最大のサイエンスシティ」だ。茨城県は「いばらき宇宙ビジネス創造拠点プロジェクト」を立ち上げて宇宙ベンチャーへの支援、誘致をはかっており、スタートアップ企業が相次いで参入している。また、つくば市ではサイエンスツアー事業も行われており、JAXA筑波宇宙センターやH-Ⅱロケットが目印の「つくばエキスポセンター」、ロボットスーツHALで知られる「サイバーダインスタジオ」などさまざまな施設を見学することができる。

「茨城国」より
「常陸国《ひたち》」のほうが
雰囲気はあると思うが…

宇宙といえば、宇宙飛行士の向井千秋さんが「宇宙から日本を見たら光の柱が立っていた」と紹介したパワースポット「御岩神社」も茨城の日立市にあるぞ。もはや茨城は日本や世界を超えて、「宇宙レベル」っつーことだっぺよ。

■常陸国（P253 ※6）

常陸国は、南西部を除く現在の茨城県の大部分が属していた国で、国府は現在の石岡市にあった。まっすぐな道が続くことから「直通（ひたみち）」と呼ばれ、はじめは常道国（ひたみちのくに）とされた。たしかに茨城は北を除けば山が少なく平坦だから、この由来は納得である。もうひとつ、日本武尊がこの地できれいな水を手ですくったら袖が濡れたことから「衣袖漬（ころもでのひたち）」を由来とする説もあるようだ。

茨城県の南側は利根川で仕切られていて、左岸が茨城、右岸が埼玉や千葉となっている
茨城
埼玉
利根川
千葉
いくつかの例外を除いて——
73 境古河 5km
Sakai-Koga
74 坂東 15km
Bando
つくばJCT. 38km
Tsukuba
ほら、このへんよ。利根川を渡ったのにまだ茨城県なの
ブロロロロ…
じゃ、降りましょう
首都圏中央連絡自動車道
第24話 埼玉さんには負けられめぇ！
キッ
なんで五霞町《ここ》(※1)につれてきたの?
独立を本気で考えるなら国境を確定しなきゃいけないでしょ?
茨城の南のほうはだいたい利根川で区切られているけど…
このあたりは、特殊な場所みたいだったから確認したかったんです

【問題92】 茨城弁にすると「メドとイギの女王」になるアニメ映画は?

東は海だから問題ないし
福島
栃木
茨城
え～っ!? 西や北は？
北は山ばっかりだから問題ないでしょ(笑)
西の栃木県民っておとなしい印象だし言葉も似てるから折衝《せっしょう》しやすいし…
なんかバカにされてる気がする…
でも、ここで国境を接することになる埼玉県民は違います！
ギリ…
「ダサイタマ」と揶揄される存在だったのにいつの間にか関東で3番手のような顔をしている…！
そうよ！
観光名所といえば長瀞《ながとろ》か川越しかないくせに！
長瀞より大子 川越より結城、真壁よ…！
埼玉といえば…
ボク、「ムーミンバレーパーク」行ってみたいっス！
このごじゃっぺが！
ビシッ
茨城県民なら「こもれび森のイバライド」※2の「シルバニアパーク」でも行きなさいッ！

【答え92】 アナと雪の女王　「めど」は穴という意味、「いぎ」は雪のことなので、「アナと雪の女王」となる。アナ雪は茨城なら「メドイギ」だっぺよ！

このあたりは工場が多いんですね
「町」とはいえ東京にも近いし高速道路のインターもあるし意外と便利だからねぇ
でもここ、県民御用達の「常陽銀行《じょうよう》」(※3)を見ませんね
埼玉の「武蔵野銀行」はあるけど…
五霞《ごか》町は埼玉文化圏だからねぇ…
知らない？ちょっと前に、埼玉になりかけた(※4)こと
え？
どういうことですか？
1999年からの「平成の大合併」。広域化することで自治体の経営状況を立て直そうとするものだ。
茨城県に位置しながら埼玉県との関係が強かった五霞町は埼玉県幸手《さって》市と合併する準備を始めた。
ところが、久喜市(埼玉)との合併を優先することにした幸手市は五霞町との合併交渉を白紙に――。
ごか
よろしく！
合併
さって
きく

【問題93】　茨城弁の「もごさま」の意味は？　A. 王様　B. お婿さん　C. もこもこ

じゃあ、そもそも五霞町が利根川の南側なのに茨城なのはどうしてだろう？
もともと川の本流がいまの利根川じゃなくて権現堂川《ごんげんどう》だったからね
”坂東《ばんどう》太郎“（利根川）は暴れ川で氾濫がひどかったこともあってもともと東京湾に注いでいた流れを銚子方面に変えたの（利根川の東遷《とうせん》※5）
五霞町
現在の利根川
権現堂川
江戸時代の利根川
東京湾
その一環で、権現堂川の流れも何度か変わっているみたい
さすが物知りですね
とくに昔のことはお手のものっスよね
古い妖怪の末裔だし
は？
ゾワッ
ひっ
五霞町は重要な拠点になりますね
もし国境を封鎖することになったら長崎の出島のように折衝窓口になるかも…
そういう場所ならもう1ヵ所あるわよ

【答え93】 Ｂお婿さん　茨城では「む」と「も」の発音があいまいで、「潜る」と「むぐる」といったり、お婿さんを「もごさま（婿様）」といったりする。

Narita-Tsukuba Aviation College
ここは…
ザザザ…
利根川の右岸でもう一ヵ所——
茨城県のテリトリーになっているところよ
知らなかった…
ほらこれ
スッ
まわりは千葉県我孫子《あびこ》市で、ポツンと茨城県取手市の飛び地があるの
取手市
利根川
我孫子市
川を挟んで北側が取手市の本体よ
でも、なんでここだけ取手市なんスか？

【問題94】　茨城弁「やっこい」はどんな意味？　A.冷たい　B.柔らかい　C.かわいい

よく見てごらん。この池のかたち、川みたいでしょ？
茨城県取手市
利根川
古利根沼
昔の利根川よ
こんなふうに湾曲してたから水害がすごかったんだって
なるほど
だから川の流れをまっすぐにしたんだけど県境は昔のままだからここだけ取り残されて飛び地になったのね
へぇ～おもしろいですね
おもしろいのは、ここの地名よ
小《おお》堀《ほり》※6
バババ
これで「おおほり」って読むんだから
出た！茨城名物難読地名！
でも学校とかどうしているんだろう…
近くに通おうと思ったら越境になっちゃうし…
だからあれがあるのよ
スッ

【答え94】 B. 柔らかい　「やっこい」は柔らかいという意味の茨城弁で、広く使われている。ちなみに「冷たい」は「ひゃっこい」となり、関東の広域方言である。

船!?
※7
利根川改修工事で小堀に住む人たちが不便になってしまったので
100年以上前から渡し船を運航してるの
地元の人は無料で利用できるんですね。自転車も乗せられるし…
これで学校にも行くんスか?
昔はそうだったけど、いまはスクールバスがあっぺよ
取手小堀の渡し
渡し船っていうと「矢切《やぎり》の渡し」が有名だけど茨城にもあったんですね
トトトト…
昭和の初期までは牛久沼なんかにもあったけど現役なのはここだけね
また~

【問題95】「やまあげ」「やまいわい」「かさぬぎ」「すなはたぎ」って何のこと?

小堀も千葉・東京連合と折衝するための最重要拠点ですね
ここには船もあるし飛行機まであるんですね？
え？
Narita-Tsukuba Aviation College
ああ。
あれは飛行場じゃなくて航空専門学校だけど…
でも、もし話し合いで解決しなかったら？
五霞と小堀を埼玉や千葉に奪われたら？
……
大丈夫です
ワイワイ
カンパーイ
ガヤガヤ
ワーーー
いまごろ助さん、格さんが根回しに奔走していますよ
ブルッ
ただ酒飲んでるだけだったりして…
なんか寒気が…

【答え95】 慰労会　旅行のあとに無事帰ってこれたことを祝って一杯やることから、慰労会や打ち上げなどあらわす言葉となっている。地域によって言い方もさまざまである。

第25話 茨城の守り神は牛久大仏だった!?

首相官邸
なに、それは本当か!?
はい、とうとう茨城が…
すぐに防衛庁のホットラインにつなげ!
ダン!
それから、東京、神奈川、千葉、埼玉の知事にも緊急事態だと伝えろ!
内閣総理大臣
賀須秀善
承知しました!
ギリ…
茨城のヤツめ…!!

【問題96】　茨城で「よかろ様」といったらどんな意味?

大利根橋（※8）をはじめとする各橋、高速道路の封鎖、完了したわ！
鉄道網、茨城空港、封鎖完了です！
八溝山、支配下に置いたぜ！
栃木は約束どおり、今日付で不可侵協約を結ぶっていってるわ
天狗党西上の折りも栃木の黒羽藩は腰抜け…いや、闘おうとはしなかったからのぅ
フォッ
フォッ
フォッ
栃木出身
ムスッ
戦略拠点の2ヵ所は？
五霞《ごか》はバッチリ押さえてあるぜ！
小堀《おおほり》も問題ありませんよ

【答え96】 優柔不断　　水戸藩第10代藩主の徳川慶篤（斉昭の子）が家臣からの献策に対して、なんでも「よかろう」と答えたことから「よかろ様」「よかろさん」と呼ばれ、優柔不断を指す言葉になった。

よしっ！テレビとラジオを流せ！
グッ
えーっ！
茨城にテレビ局なんかないっスよ
バカモン！
「いばキラTV」があるぢゃろう!!茨城放送も使うんぢゃ！
「いばキラTV」
47都道府県で唯一独自のテレビ局を持っていなかった茨城県は県内外への情報発信ツールとして2012年よりYouTubeチャンネル「いばキラTV」を開設。
2018年にはバーチャルアイドル「茨ひより」が誕生し、「いばキラTV」を盛り上げている。
いばキラTV-IBAKIRA T
「LuckyFM 茨城放送」※9
1963年に茨城県に開局したラジオ放送局。47都道府県最後の参入となった。
ご老公いつでも生放送OKっス！
みなさん。維新以来、茨城はひどい扱いをされることを甘受してきた——
ピコッ
オホンッ
天狗党の苦い記憶があるからのう…

【問題97】 茨城で「らいさま」といったら？ A. 台風 B. 雷 C. お笑いコンビ

茨城は農業で、漁業で、工業で、商業で…
コレヤバくね？
そして科学技術で日本全体に貢献しておるのにもかかわらず日本中からバカにされておる！
だれだァ？
さぁ…
よって今日を限りに茨城は…
日本から独立するッ！
どっ…独立⁉
ザワッ
千葉県柏市つくばエクスプレス茨城県境付近
プァァァン
キキキ
なっなんだあれは…？
TX-1608

【答え97】 B. 雷　　雷は茨城では雷様を指す「らいさま」「れーさま」といわれている。ちなみに茨城のお笑いコンビはらいさまではなくて「カミナリ」である。

!?
ザッ
茨城県取手市大利根橋千葉県境付近
茨城独立防衛軍
け、県境を封鎖してやがる!
交通を遮断してるんだって!
茨城が独立するんだってよ!
千葉県我孫子《あびこ》市
利根川
茨城県取手市
プップーワー
どけおらぁ!
プップー
こっちも身動き取れねぇんだよ!
プップー
え、あれってまさか…

【問題98】　「わぎゃね」「わっきゃね」ってどんな意味？　A. わからない　B. 訳ない　C. わきまえない

せっ…戦車!?
ドドドドド
ギュルギュル
よし、バリケードを突破して茨城へ突入だ！
はっ！
武力ならこちらにもありますよ。郷土を愛する兵士たちが茨城を死守します！
誰だ!?
お前…！
日本でクーデターを起こすなんて気は確かか!?
政権の転覆なんか狙ってません。僕たちがしたいのは―
ゴゴ
F2にF-4EJ改！
茨城の独立です
茨城県小美玉市
百里基地
ん？ あれはひょっとして…

【答え98】 B.訳ない　「わぎゃね」「わっきゃね」は「訳ない」がなまったもので、簡単で、たいしたことがないという意味になる。　使用例：わぎゃねがら思いっきしやれよ（訳ないから思い切りやれよ）

零式《れい》艦上戦闘機！
ゴオオオオオオ
阿見の予科練平和記念館※10から借りてきました。整備はバッチリですよ！
す、すごい…紫電《しでん》はないんスか？
筑波海軍航空隊記念館※11にあたってみたんだがあいにく主輪1つしか残ってなくてな
一方 大利根橋バリケード付近――
ポンッ
奴らは日本から独立すると言っているんだ
つまりもはや日本人ではない！
あ…アオタは…！
かまわんッ！
叩き潰せッッ!!

【問題99】 「んめ」の意味として間違っているのは？ A.馬 B.梅 C.うまい

来おったわい！
迎撃じゃ！
ドーン
ドゴォ
パパパパ
ドンッ
パンッ
まずい…押されてる…！
これ以上攻撃されたら土地が荒廃して独立の意味がなくなる…
五月さん、ハチ、助さん、格さん
配置についてください！
ビッ
了解《ラジャー》！

【答え99】 A. 馬　茨城弁で馬は「んま」「んまめ」になる。　使用例：このんめぼし、んめーどな（この梅干し、うまいよね）

!!?
ズウウウン…
牛久大仏※12が歩いてる!?
ダッ
ひぃぃ
逃げろっ!
俺たちも加勢するぜ!
ちょっと!
なんで私はこれなのよ!
オドロオドロ
五月さんだけオリジナルでつくったんです!
瀧夜叉《たきやしゃ》ロボ

【問題100】「いいかげん」を意味する茨城弁は?　A. ごじゃっぺ　B. でれすけ　C. けづぬげ

この…
ごじゃっぺやろが——っ!!!
ハッ
…夢…?
ハァ
ハァ
ドキ
ドキ
妙にナマナマしかった…
プロジェクトが大詰めだからあんな夢を見たのかな…
よしっ!
気持ち切り替えて今日もがんばるか!
茨城独立建白書
(たたき台)

【答え100】A. ごじゃっぺ　「ごじゃっぺ」と同じような意味で使われる「でれすけ」は本来「だらしないやつ」という意味。「けづぬげ」はドアなどを開けて入ったあとにちゃんと閉まっていない状態を指す。

第26話 「NATTO」でしみじみやっぺ!!

県庁第二観光課
プレハブ
茨城再生プ
カタ
カタ
カタ
カタ
知事の都合で、あと1日でまとめなきゃならないなんて…
徹夜3日目
徹夜2日目
クサッ
あ〜 風呂入りてぇ
簡易シャワー使います?
「グリンヴィラ」行ってからキャンプグッズ集めてるんスよ
RINSEKIT
フンッ
カタ
カタ
これだからひとり暮らしのオタクは
「県民経済」の暦年データどこだっけ?
助さんは資料を適当なところに置くから…
あっちの棚ですよ

茨城県の県民所得は順調に伸びていますね
ええ、全国順位は11位が続いてるけど「1人当たりの県民所得」なら7位ね
…あ、栃木県は3位だ！
群馬県は5位に入ってるぞ！
1人当たりの県民所得（2017年度）
1 東京都
2 愛知県
3 栃木県
4 静岡県
5 群馬県
6 富山県
7 茨城県
滋賀県
福井県
山口県
神奈川県
千葉県
何かの間違いでしょきっと…
2017年度の経済成長率は全国1位だしやっぱり他人にバカにされるような存在じゃないんですね
のび〜
で、このデータをどうするんですか？
海外…とくにアセアン各国のデータと比べてみようと思ってね
ASEAN《アセアン》（東南アジア諸国連合）
東南アジア地域の国々が加盟する地域協力機構である
地域の平和と安定や経済成長を促進するために設立
現在10カ国が加盟している

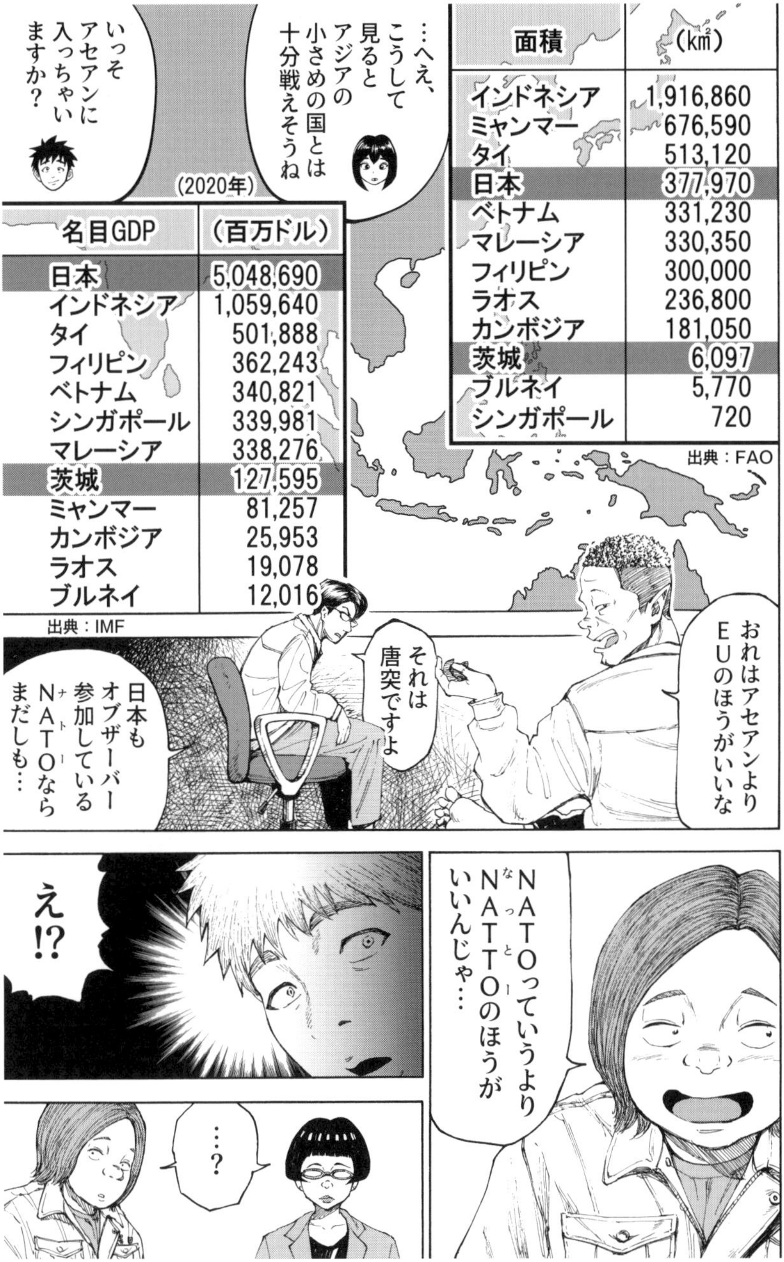

…へえ、こうして見るとアジアの小さめの国とは十分戦えそうね
いっそアセアンに入っちゃいますか？
おれはアセアンよりEUのほうがいいな
それは唐突ですよ
日本もオブザーバー参加しているNATO《ナトー》ならまだしも…
NATOっていうよりNATTO《なっとー》のほうがいいんじゃ…
え!?
…?

面積	（㎢）
インドネシア	1,916,860
ミャンマー	676,590
タイ	513,120
日本	377,970
ベトナム	331,230
マレーシア	330,350
フィリピン	300,000
ラオス	236,800
カンボジア	181,050
茨城	6,097
ブルネイ	5,770
シンガポール	720

出典：FAO

（2020年）

名目GDP	（百万ドル）
日本	5,048,690
インドネシア	1,059,640
タイ	501,888
フィリピン	362,243
ベトナム	340,821
シンガポール	339,981
マレーシア	338,276
茨城	127,595
ミャンマー	81,257
カンボジア	25,953
ラオス	19,078
ブルネイ	12,016

出典：IMF

翌日——
知事室
茨城独立建白書
袋田
ググッ
臨時職員として働いて1年
これまで長かった…
これが僕の最後の
大仕事になるかもしれない…！
いくわよ！
ダイゴさん、ファイティン！
ギュッ
コン
コン
どうぞ

日程を早めてもらって申し訳ない会合が立て込んでいてね
オオオオオ
さっそく始めてもらおうかな
茨城県知事
多井川数比古
ザッ
はい、では…
カチッ
パカッ
パッ
県庁第二観光課

それでは始めさせていただきます
県庁第二観光課
私たちのチームは茨城県の魅力をアップさせるにはどうすればいいか真剣に考え——
ひとつの結論にたどり着きました
それがこれです！
パッ
茨城独立建白書
むっ…！
ご存じのように茨城県の実力は全国屈指です
【農業産出額】
4,508億円
全国3位
【製造品出荷額等】
13兆360億円
全国8位
（2018年）

そして何より茨城のみなさんが心を込めて作物や名物をつくっています
だってそのほうが楽しいじゃない
全部完熟で
牛久大仏っスね。高さ120mでギネス認定されてる……
藩の人々が楽しめる偕楽《かいらく》園を作ったり―
弘道《こうどう》館っていう学校を作ったりしたのよね
魚は一般に冬場が脂がのっておいしいというでしょ?
うなぎもホントは冬が旨いんです
見所もいっぱいあります
サザエさんのオープニングにも使われてたし
みな
!?
なのにまだ虐げられてるのは納得いかねぇ…!
そこで日本から独立し
賛同してくれる県とともに――
NATTO《なっとー》――
「N」orth Kanto 「A」nd 「T」ohoku 「TO」gether《ノースカントーアンドトーホクトゥギャザー》
「北関東・東北で一緒にやっぺ連合」の設立を提案します!

な、なっとー？
もともと北関東と東北は納豆の消費量が多い地域です
秋田には江戸時代から15代も続く「檜山《ひやま》納豆」があるし…
「青森納豆」も納豆好きには定評があるぜ
仙台の「宮城野納豆」は安全な納豆菌を全国に広めた立役者ですよ
納豆購入額
（2018～2020年平均）
1 福島市 福島県
2 盛岡市 岩手県
3 水戸市 茨城県
4 山形市 山形県
5 仙台市 宮城県
6 長野市 長野県
7 前橋市 群馬県
8 宇都宮市 栃木県
9 秋田市 秋田県
10 青森市 青森県
青森納豆
宮城野納豆

でも、幕末以来東北は「朝敵」とされていたので不遇な時代を過ごしています
北関東三県だって「関東」との扱いの差に情けない思いをしてるんだぜ
なあハチ！
ウンウン
きっかけさえあれば北関東と東北は手を組めると思うんです
そして、その「きっかけ」が茨城の独立です
経済成長率日本一の茨城が日本から独立して他の県と「納豆」で結ばれていく――
そして納豆を食べる人たちの独自の文化を大切にし守り育てていく――
これがまさしく「回天《かいてん》」――

茨城のヒーロー、藤田東湖のいう
天下の形勢を変える一手です!!
ゾクッ

荒唐無稽…！だが、おもしろい…！
ぐぬぅ…
いまは無理だが10年後…いや20年後にはあるいは…
馬鹿もんっ！
ポカッ
ご老公!?
ドン
此奴《こやつ》らは、ない知恵を絞って一所懸命考えてきたんじゃ。ひと月もあれば結論を出せるじゃろ！
ポカーン
んじゃ行くぞい

…あの、なんか知事がへりくだってるように見えたんですが…
う
むぅ…
もしかして知事の弱みを握ってるんじゃ…
フフ…
…言ってなかったかのう
ニッ
県知事《あやっ》はわしの娘婿《むすめむこ》じゃ
えぇ!
茨城をなんとか盛り上げたいというので協力していたんじゃよ
ただのスケベな爺さんじゃなかったんだ…
なにせ徳川のまつえ
オホーンッ
あっ
知事とご老公のポケットマネーで運営していたんです
ご老公にとっちゃどうってことないぜ
さて、プレハブで前祝いじゃ!
ダッ

1ヵ月後――
ガラッ
やぁ、みんな
あ、おはようございます
ひょっとして結論が出たんですか…？
ガタッ
オホンッ
まぁその…
なんじゃ、はっきり言わんか！
北関東や東北の知事たちと非公式に会談を重ねていたんだが…
ゴクリ…

…ということで、NATTO《なっとー》を設立しようではないか
茨城
この閉塞状況から抜け出せるなら、協力するべ
青森
んだな。このまま何もしねーと、岩手県がねくなるべぇ
岩手

まんず、
いんだども…
なんか
不満そうね
秋田
山形
NATTOは
いいんだども
「一緒にやっぺ連合」が
さっと
引っかかってな…
オメ、それ
茨城弁
だべ？
いや、
そういうわけ
じゃ…
んだってば
んだな
「だっぺの国」の
言葉を押っつける
気だべ
「だっぺ帝国」の
陰謀？
東北でなくて関東に
入れてくれるんだったら
仲間さ入るべえと
思ったが…
裏が
あったのか…
福島
「やっぺ、だっぺ」は
おれたちも使うけど、
いっしょくたに
されたくないいっつーか
やっぱり
世界遺産がある
われわれのほうが
上だっぺよ
栃木
うむ、
ぜんぜん
上だんべえ
群馬
海なし県がッ
ビッ
偉そうな
こと
言うんじゃ
ないッ！
またそれかよ
ププッ
ほかに
勝ってるところ
ないから
しょうがないか
プルプル

とにかく茨城が中心てのが気にくわねぇのっしゃ
ドカッ
宮城
それは…
言い出しっぺだし…
新幹線に地下鉄まである宮城と、どっちもない茨城と、どっちが上なのしゃ
しかし人口では負けてないぞ！
茨城県：285万3千人
宮城県：229万2千人
（2020年）
県庁所在地の人口では、仙台市が東北ナンバーワン
【仙台市】
106万6千人
【水戸市】
27万1千人
（2020年）
北関東どころか東北を入れてもワースト2位の水戸市とは比べもんになんねーのしゃ！
もういいッ！
ダンッ

で、交渉どころじゃなくなってな…
すまん

ああ、疲れた
ぐでら
こんな結末ってありですか?
ぽけ～
ハァ～
本社に戻った昆さんにも顔向けできないよ
これでもか?
採用通知
袋田ダイゴ殿
茨城県の職員として正式に採用する。
へ、これって…
さっき知事が置いていったわい
引き続き茨城を頼む、とな
ダイゴ!
ぐっ
…!

おめでと…
ぎゅーっ
なんだか急にやる気が出てきました！
バッ
グッ
※ハッスル黄門（第2話参照）
潮来《いたこ》のあやめまつり…
笠間の悪態まつり…
悪態まつり
バカヤロー
石切山脈…
茨城にはまだまだ魅力的なところがたくさんありますよね！

そうよ！
もっともっと魅力を発掘して世の中に見せつけてやりましょ！
そうと決まりゃ
これから茨城をさらに盛り上げていこうぜ！
パシッ
しみじみ…
やっぺ!!

茨城王《イバラキング》の「だっぺディア」vol.7

■五霞町（P257 ※1）

茨城側から見て、全域が利根川の向こう側にある県内唯一の自治体。現在、茨城側と五霞町は、国道4号バイパスおよび圏央道でつながれている。が、かつて利根川を渡る新利根川橋は有料で、同じ県内なのにお金を払わないと行き来することができなかった（汗）。しかも、新利根川橋ができる1981年までは、茨城本体と五霞町はダイレクトにつながっておらず、他県を経由しないと行けなかったのである（大汗）。そりゃ、埼玉と合併したくなるわなぁ……。

茨城県民なら「こもれび森のイバライド」の「シルバニアパーク」でも行きなさいッ！
ビシッ

■「こもれび森のイバライド」（P258 ※2）

稲敷市にある農業体験公園で、かつては「ポティロンの森」という名称で親しまれていた。「ポティロン」はフランス語でかぼちゃを意味し、地元特産の「江戸崎かぼちゃ」にちなんで名付けられたものだ。2016年に「イバライド」としてリニューアルし、園内にはシルバニアファミリーの村を再現した「シルバニアパーク」がつくられている。

■常陽銀行（P259 ※3）

北関東最大の銀行でもあり、おとなり栃木の足利銀行と経営統合した「めぶきフィナンシャルグループ」は地銀としては全国第3位の銀行グループとなっている。

県内ほとんどの市町村に支店があるが、河内町と五霞町にだけは支店がない。ただし、河内町にはATMがあるので、常陽銀行を利用できない市町村は五霞町だけとなっている。五霞町の埼玉化を防ぐために、ぜひATMだけもつくってほしいものだ。

五霞《ごか》町は埼玉文化圏
だからねぇ…
知らない？
ちょっと前に、埼玉に
なりかけたこと

■（五霞町は）埼玉になりかけた（P259 ※4）

町民アンケートで埼玉県幸手市との合併を望む声が多かった五霞町が、幸手市と合併協議会を設立し、越境合併に乗り出した事件。しかし、相手先の幸手市では久喜市との合併を優先する声が根強く、幸手市長のリコール運動にまで発展。五霞町との合併を進めていた当時の市長は辞職し、市長選挙で五霞派と久喜派が激突した。結果、久喜派が勝利し、五霞町と幸手市との合併協議会は解散……茨城県民はほっと胸をなでおろしたのだった。以後、五霞町に合併の動きは見られないが、もし今後「令和の大合併」があるなら、けっして油断はできぬ！　県民は五霞町の動きを注意深く見守らねばなるまい。

■利根川の東遷（P260 ※5）

江戸に幕府を開いた徳川家康は、治水や水運、新田開発のために、東京湾（江戸湾）に注いでいた利根川を付け替えて、銚子方面の太平洋に流す大工事に着手した。それまでは五霞と茨城本体の間に川はなく、完全に陸続きだったのだが、この利根川東遷事業で五霞が川で隔てられることになる。

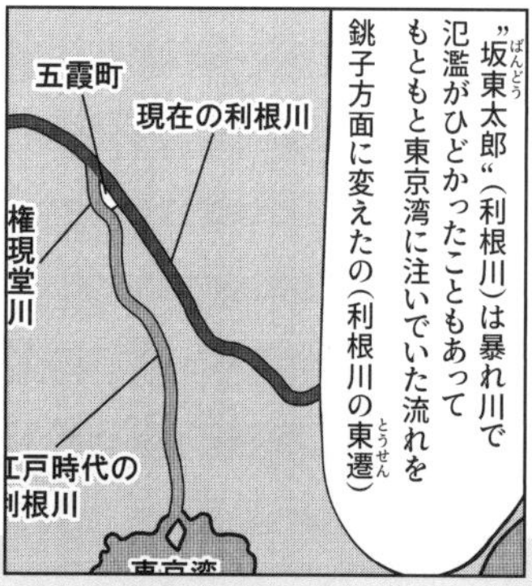
"坂東《ばんどう》太郎"（利根川）は暴れ川で
氾濫がひどかったこともあって
もともと東京湾に注いでいた流れを
銚子方面に変えたの（利根川の東遷《とうせん》）
五霞町
現在の利根川
権現堂川
戸時代の
根川

ただ、この時点では五霞の西側、つまり、埼玉との県境に「権現堂川」が流れており、こちらが利根川の本流だった。それが、1928（昭和3）年に廃止されて、現在の利根川の流路が確定。こうして五霞町はまるごと埼玉県側になってしまったというわけだ。

とはいえ、権現堂川は上流の利根川との接続部分がせき止められただけで、川自体は残っており、再び流路を変えて利根川とつないであげれば、名実ともに五霞町を茨城側に持ってこられる可能性は残されている（笑）。

おもしろいのは、ここの地名よ
小堀《おおほり》
これで「おおほり」って読むんだから
出た！茨城名物地名！

■小堀（P262 ※6）

『角川日本地名大辞典 8茨城県』によると、「小堀」は、「堤防決壊によってできた沼地をオッポリとよぶところから由来したとも考えられる」らしい。とはいえ、無理矢理なこじつけにも見えるから、本当のところはわからない。

ちなみに取手市に問い合わせたところ、小堀では上水道や電気は千葉県側の施設を利用しているそうだ。電話の市外局番も、取手市の0297ではなく、千葉県我孫子市の04。まあ、千葉側が地続きなんだから当たり前か。でもゴミ集積所の管理や回覧板などの地域活動は地元の自治会が行い、ごみ収集は取手市が実施。

けっして理想的な環境とはいえないと思うけど、五霞町のように、県境を変えようとする動きは記録に残っていないそうで、なんだが安心しちったよ。

■船（P263 ※7）

小堀地区と取手市の本体とを結ぶ「小堀の渡し」。1914（大正3）年に運航を始めたという

から、100年以上の歴史を誇っている。現在の「とりで号」は、小堀から対岸の取手緑地公園駐車場前まで7分、そこから取手駅に近い取手ふれあい桟橋まで6分、小堀に戻るのに13分というひと筆書き航路で運航。一日7本、1区間大人200円だ。ちなみに住民の足だった経緯があるので、小堀地区の住民は無料で利用することができる。

かつては通学にも使われていたが、マンガでも描かれているように、数名いる小中学生は現在、スクールバスで取手市内の学校に通っているとか。

江戸川沿いの葛飾区柴又と松戸市下矢切を結ぶ「矢切の渡し」は定番すぎておもしろくないというあなた、一度は利根川の「小堀の渡し」を試してみてくろっ!

■大利根橋（P266 ※8）

茨城県と千葉県はその大部分が利根川で分断されており、利根川にかかる橋を封鎖してしまえば南からの侵入は困難となる。作中に登場した大利根橋は、取手市と千葉県我孫子市を結ぶ国道6号の橋で、利根川にかかる道路橋としては最長。交通量も多いから、封鎖のダメージが最も大きい橋のひとつといえっぺな!

東京を流れる神田川、隅田川、荒川、江戸川なんかには橋がふんだんに架かっているから、さほど意識することはないと思うが、利根川に架かる橋はきわめて少ない。川を渡ろうとすると、延々何キロも橋を求めてさ迷うことになる。封鎖するには都合がいいけど、移動には不便なことこの上ない。

■Lucky FM（P267 ※9）

茨城県にある唯一の民放県域ラジオ茨城放送局。2021年4月から愛称を「Lucky FM 茨城放送」に変更。イバラキとラッキーを掛けたネーミングなのは、みんなわがってっぺ？ 今後は動画配信も強化し、ゆくゆくはテレビ局を開局させるという大いなる野望を持つ。やっぱし茨城の逆襲にメディアの力は欠かせねーべ！

なお、2020年4月からこのマンガと同名の「だっぺ帝国の逆襲」を放送。パーソナリティはもちろんわたくし、茨城王（イバラキング）だ。

47都道府県最後の参入となった。

■予科練平和記念館（P271 ※10）

「予科練」とは「海軍飛行予科練習生」の略称で、日本の旧海軍がパイロットとしての基礎訓練を行うために設けられた制度。この予科練が1939（昭和14）年に横須賀から茨城の阿見町に移転。阿見には当時東洋一の航空基地といわれた霞ヶ浦航空隊があり、以後、予科練習教育の最重要拠点となった。

予科練に入隊した少年は終戦までの15年間で約24万人。そのうち約2万4千人が戦地におもむき、多くが特攻隊員となっていった。「予科練平和記念館」は、戦争の歴史を記録し、命の尊さや平和について考えてもらうために開設されたミュージアム。

なお、屋外に展示されている零戦は実物大の模型だが、阿見町では1944（昭和19）年〜1945（昭和20）年まで零戦を製造していた。

■筑波海軍航空隊記念館（P271 ※11）

映画「永遠の0」の舞台で、ロケ地でもある笠間市の旧筑波海軍航空隊基地跡。敷地内には旧司令部庁舎がほぼ当時のまま残されており、「筑波海軍航空隊記念館」となっている。

筑波海軍航空隊は1938（昭和13）年に編成され、1500人以上が実機訓練を行った。1945（昭和20）年、戦況悪化にともなって「神風特別攻撃隊筑波隊」が発足。約70人が特攻で命を失っている。

映画「永遠の0」の主人公はこの筑波海軍航空隊の教官という設定で、教え子を特攻に送り出すことに悩み苦しんだ末、自ら特攻を志願する。

■牛久大仏（P273 ※12）

茨城が、いや、日本が誇る巨大人型建造物。全高120m（像の高さは100m）で、ブロンズ製のものとしては地上高世界最大。その大きさは「奈良の大仏」が手のひらに乗ってしまうほどで、世界一有名な人型建造物「自由の女神」（46.05m）が牛久大仏と並べば、子どもどころか小人に感じられるレベルである。

この牛久大仏、「かめはめ波」を放とうとしているとか、千葉・東京に睨みをきかせているとか、さまざまな噂の源になっている。噂だけじゃなく、実際に動いてほしいと願う茨城県民は少なくないはずだ（笑）。

動く牛久大仏に対抗できるとしたら118.5mのシン・ゴジラぐらいだろうか。東宝さん、ぜひ「ゴジラvs牛久大仏」を制作してくれ！

おわりに

「馬鹿にされているけど本当はすごい茨城の魅力を伝えるコンテンツを作りませんか?」

そんなメッセージをもらったのは、日本屈指の豪雪地帯にそびえるリゾートホテルの一室でのことでした。画業の合間に休暇を取って冬のアクティビティを楽しんでいたのではありません。ホテルの従業員として働いていたのです。働きながらも、このまま世間から忘れ去られてフェードアウトしていくのではないだろうかという恐怖と常に隣り合わせでした。そんな状況でしたから、漫画家としての価値がまだ幾ばくか残っていたこと、そして茨城県出身というアイデンティティが自身の状況を救ってくれたことに高揚したことを覚えています。

僕が人一倍郷土愛に溢れているかと問われれば、そんなことはありません。田舎から抜け出したくて大学進学と同時に茨城を飛び出し、同級生に茨城弁を馬鹿にされないように必死で訛りを矯正しました。就職して東京へ引っ越し、10年余り四苦八苦

したあげくに都会での生活に疲れて茨城へUターン。まさに主人公ダイゴと同じような人生を歩んできました。典型的な茨城県人といってもいいかもしれません。そんな僕ですから、「茨城といえば納豆」というレベルの知識しか持ち合わせていなかったのです。

知識がない僕に何ができるだろうか？　それは、現場に足を運んで感じる空気感や地域の人々の人柄を写し取ることではないだろうかと考えました。何より知識の部分は青木さんという頼もしい存在がいます。だから僕は、実際に見てみること、話してみること、食べてみること、歩いてみることに徹することにしたのです。そうやって得られた情報を絵に落とし込みました。僕は決して絵が上手ではありません。だけど、想いは込めたつもりです。線一本一本に何かしらの意味があります。そうやってできた漫画なんです。

もしかしたら暑苦しかったですかね？　だったらそれでＯＫです。これまで出会った茨城県人たちのパッションが、僕のペンを通してちゃんと伝わったということなのですから。

２０２１年秋

佐藤ダイン

■画　佐藤ダイン

1984年、茨城県大子町出身。芸術系の大学在学中から漫画誌に投稿を続ける。

サラリーマン生活、漫画家のアシスタントを経て、『桃色な片想い』（『月刊！スピリッツ』）でデビュー。2016年、『僕に彼女が出来るまで』が『ふんわりジャンプ』で連載、単行本化される。

■監修　青木智也

1973年、茨城県常総市（旧石下町）出身。東京でサラリーマン生活を経験するも、茨城にUターン。

フリーのライター、コメンテイター、ラッパーとして活動を続ける。WEBサイト「茨城王（イバラキング）」を立ち上げるかたわら、常総ふるさと大使、いばらき統計サポーター、茨城県まちづくりアドバイザーなどとしても活動。茨城放送、ラヂオつくば等でパーソナリティも務める。

著書『いばらぎじゃなくていばらき』（茨城新聞社）が13刷、4万部を超える大ヒット。

編集：大森　隆
校正：藤原将子
装丁・DTP：杉本欣右

だっぺ帝国の逆襲

2021年10月11日　初版第1刷発行

画　佐藤ダイン
監修　青木智也
発行人　飯田昌宏

株式会社小学館
〒一〇一-八〇〇一　東京都千代田区一ツ橋二ノ三ノ一
電話　編集：〇三-三二三〇-五一四一
販売：〇三-五二八一-三五五五

印刷所　萩原印刷株式会社
製本所　株式会社若林製本工場

Printed in Japan ISBN978-4-09-388833-2